うことでミラーニューロンシステム（鏡・神経細胞・系）と名づけられました。ミラーニューロンシステムとは、見ているだけで運動がやりやすくなるシステムです。また、[illegible]ってわかってきました。この本で紹介したカリキュラムをはじめて赤ちゃんにさせるときにも、お母さんが最初にまずやってみせることがとても重要です。たとえば、積み木遊[illegible]赤ちゃんといっしょにやる３ 赤ちゃんにやらせるの３段階を踏んで、繰り返しやってみましょう。何回もやらせると、それが何をやろうとしているか赤ちゃんは理解していきます。運動はもちろん、感覚、感情を表現する・理解するのにもすべてミラーニューロンシステムが働きます。お母さんが怒った顔をすれば、赤ちゃんも怒りのミラーニューロンシステムが働き、お母さんが笑えば赤ちゃんもご機嫌なミラーニューロンシステムが働くというわけです。お母さんと赤ちゃんの「にらめっこ遊び」（60ページ）は、ミラーニューロンを鍛えるという点で、脳の発達にとてもよい刺激をもたらします。「にらめっこしましょ、笑うと負けよ、あっぷっぷ」といっしょに遊ぶことは、お母さんの怒った顔や笑った顔、表情豊かないくつもの顔を赤ちゃんに見せることで、さかんに刺激を与えます。早い時期からどんどんやって、赤ちゃんにも覚えてもらいましょう。見ることや聞く・話すことでもミラーニューロンシステムは働きます。お母さんがしゃべって、赤ちゃんにまねさせる……この繰り返しで赤ちゃんはうまくしゃべれるようになっていくのです。見たもの、聞いたものがどういう意味を持っているか、理解するようになっていくのです。まねをして繰り返ししていくことは脳の発達につながっています。“まねすることは創造性の発達”であり、前頭連合野（前頭前野）の発達につながっていきます。ちなみに、「サルまね」という言葉がありますが、サルは理解するところまで発達しません。「まねすることは創造的なことであり、けっしてサルまね」ではないのです。３ＮＯ－ＧＯ（何かを積極的にしないこと）を覚えさせる“積極的にしないこと”を教えることを、NO－GO（ノーゴー）といい、8野の中枢細胞が働きます。早い時期から、“しなかったらほめる”ことを教えましょう。たとえば、赤ちゃんがコンセントをいたずらしかけたら、停止させてやらなかったらほめます。（説明して、理解させてやめさせる）、積極的に何かをしなかったらほめて教えるということです。（60ページ）ほかにも、「食卓ではなく、別の場所で食べなかったらほめる」もそうです。歩けるようになったとき、「信号が赤なら止まる、青はGO」など、社会のルールに従うことを教えることも、抑制細胞を働かせることになります。　NO－GOは、育児のあらゆる場面で遭遇し、実践することによって脳を鍛えます。NO－GOは、何かを積極的にしないということで、我慢とは違うのです。我慢しなくてもいけないと教えられたことがすんなり守れるということがNO－GOで、これが小さいころから鍛えられると、成長してキレる子どもは減っていくと思われます。４ストループテスト（課題）で、行動のきりかえを鍛えるストループテストとは、ストループというアメリカの心理学者が35年に考案したテストです。2種類の性質を持った刺激で、どちらかをすばやく選ぶことで脳を鍛えます。ストループテストとはどんなものか、よく試される色文字を使った課題で説明しましょう。（大人用）例1、例2　例1は、漢字の味を聞くテストです。これは、普通に声を出して読んでもらいます。例：あか、みどり、きいろ、みどり……となります。次に例2は、ここでは、漢字の色を聞く条件です。例：はじめの文字は「みどり」と読みます。2番目の文字は「あか」、3番目「みどり」、4番目「きいろ」……すばやく反応して、間違えずにできたでしょうか？例１と例２では、当然時間差が出ます。個人差があるので目標数値はありませんが、前日やったときと時間がどう変わったかを記録していきます。別な課題を考えてみましょう。数字の3、8と書いたカードが2枚あります。（例3）「数が大きいのはどっち？」の質問には、8が答え。「数の形が大きいのはどっち？」の質問には、3を選びます。どちらもすばやく答えます。どちらを選ぶかを決めるのは前頭前野の46野。すばやく反応するときには運動前野と運動野が働きます。答えを間違えると前頭帯状皮質が働き、脳幹にある青班核が働いて、脳や脊髄の神経細胞にノルアドレナリンという伝達物質を出します。そして、いろいろなものに注意が働くようになり、失敗しなくなるのです。次に、2才児のストループテストを紹介しましょう。巻頭き出しの裏は2才児用のストループテスト教材です。この裏面に厚紙を貼って、それぞれの形のカードに切りわけます。やり方は、はじめのころは「赤のカードはどれとどれかな？」「三角のカードを取ってください」など、色と形の違いで問題を出します。これができるようになったら、カードの位置を覚えさせてから伏せて、同じ色をめくらせるという、ワーキングメモリーもあわせて働かせる、高度な課題（109ページ）です。このテストは、ものごとの決断が早くなり、ワーキングメモリーの威力が高まり、手をすばやく、器用に働かせるようになります。慣れると早くできるようになりますから、２才になったら、教材を使ってやってみましょう。５ドーパミンシステムでやる気を起こさせるドーパミンのことは、理論Ｉ部で詳しく説明しましたが、これを利用すると脳を鍛えるレッスンが、非常にやりやすくなり、また効果も大きくなります。ドーパミンを分泌する腹側被蓋野は、従来「やる気を起こす領域」とされてきましたが、最近の研究で「快感がわかる領域」ということもわかってきました。大人でも、おいしいものを食べたとき、ほめられたとき、恋人の写真を見せたとき、チョコレートなど好物を見せたときなど快感を起こす刺激に遭遇すると、ドーパミンがさかんに分泌されます。「快感がわかる」＋「やる気を起こす」は、何かをやらせるときに相乗効果で効力を発揮します。カリキュラムを実行するときにも、とにかくほめて気持ちよくさせてやらせるといいのです。それは育児をするときも、子どもが大きくなっても同じです。１何かができたらほめるほめられてうれしくなると、それが快感になり、さらにやる気が出てきます。たとえうまくできなくても、まずほめましょう。けなされて育った子は自信をなくし、ほめられて育った子はチャレンジ精神がが旺盛になります２ さする、抱きしめるなどのスキンシップを頻繁に大好きなお母さんに抱きしめられると、安心して気持ちがよくなりドーパミンが分泌します。そして、やる気がわいてきます。育児の面から見ると、心の安定した子に育ちます。３　おいしいものを食べさせる“おいしいものを食べること”は、最高に脳によいのです。このとき「おいしいね」といってお母さんもいっしょに食べましょう。理論III　赤ちゃんの脳を育てる8つのポイント　１発達に合わせて、ちょうどいい時期にふさわしい刺激を与えましょう　赤ちゃんには個人差があります。首がすわった、おすわりができたなど、その子の様子を見て、ふさわしい時期にふさわしい刺激を与えてあげましょう。巻頭引き出しのスケジュール表は、あくまで目標値です。その時期にできなくてもあせることはありません。早い・遅いは気にしないで、それよりも基本的なことをしっかり身につけさせてください。２繰り返し同じ刺激を与えることが、神経回路を強化します　脳の神経回路は、一度できていても、それを長い間使わないでいると、やがて消えてしまうという性質があります。一日に何度も同じ働きかけをする、昨日やったことを今日もやってみる、などがたいせつです。使えば使うほど神経回路はしっかりしたものになります。３早くできることより、基礎が身につくことが大事、はいはいなんかしなくても、早く歩けるようになればそれでいい、という人がいますが、それは間違いです。特に運動は、一つ一つ段階を追って、きれいなおすわり、きれいなはいはいをさせましょう。なぜそれがたいせつかというと、正常な筋肉や、骨、関節の発達につながるからです。これは、知的な面でもいえることです。あることができたら、次はもう少しむずかしいことをさせてみて、赤ちゃんが理解して行動させることが大事なのです。それが前頭前野を働かせることにつながります。いきなり理解できないむずかしいことをさせても、それは身につきません。４各分野の脳を、バランスよく鍛えましょう　カリキュラムは、「手」「運動」「感覚」「社会性」「知能」の５つの分野に分かれています。赤ちゃんのときは、あらゆる分野を発達させてあげたいので、各分野をまんべんなく練習させましょう。５途中から始めても効果があります　レッスンのスタートは早ければ早いほどいいのですが、もちろん途中から始めても効果はあります。ヒトの脳は20才くらいまで発達し続けています。もっといえば、生きているかぎり、情報を送ってやれば新しい回路は作られます。　ただし、目覚ましいスピードで発達するのは0～３才ごろなので、早いほど効果的ということができます。６いやがったら無理じいするのはやめましょう　赤ちゃんがいやがるのを、無理にやらせても脳は発達しません。いやがるときはそのことはしばらく休み、もう少したってからトライしてみましょう。７うまくできたら必ずほめてあげましょう　赤ちゃんががんばってじょうずにできたときは、「わあ、じょうずにできたね」「うまくできたわね」と、必ずほめましょう。赤ちゃんはほめられるとうれしいもの。脳からドーパミンが出て、次はもっとじょうずにやろうという意欲がわいてきます。お母さんのほめじょうずが、赤ちゃんの脳を発達させるコツといえます。８「ダメ！」のあとは、赤ちゃんの甘えを受け入れて安心感を与えましょう　食べられないものを口に入れたり、危険な場所に近づいたときは、「ダメ！」といって、してはいけないことを教える必要があります。　ただし、「ダメ」のあとは、抱きしめるなど甘えさせて、お母さんが信頼できるという安心感を与えてあげましょう。　赤ちゃんといっしょにいろいろなことをするとき、たいせつなのは親子の信頼関係です。

カリキュラム　0ヵ月～1ヵ月半ごろ　反射期　生まれつき備わっている反射が反応へと変わっていく時期。この時期のポイント●たっぷり眠らせる。●繰り返し話しかける。●生活音に慣れさせる。●スキンシップを十分に。　この時期の赤ちゃんは、自分から外の世界に働きかけるというより、生まれつき備わっている“反射”で、外の世界に応じます。　なんでも口にふれたものに吸いつく「吸（ルビきゅう）てつ反射」。手のひらに何かがふれると、その皮膚刺激で反射的にギュッと握りしめる「把握反射」。これは足の裏でも見られます。　まぶたにフーッと息を吹きかけると目を閉じる「瞬目反射」。足の裏や親指をつねったり引っぱったりすると、ひざを強く曲げて足を縮める「屈曲反射」。そして、頭の位置を変えると、姿勢を保とうとして目や首、手や足を動かす「迷路反射」。　これらは赤ちゃんが自分の意思で行っているわけではなく、どれも生まれつき備わっている反射です。　この時期は、この反射を起こさせるいろいろな働きかけをしましょう。何度も働きかけると、反射が強くなり、やがて刺激を与えなくても自分からやるようになります。たとえば、唇にふれていたものに吸いついていたのが、やがて自分からお母さんの乳房をさがすようになります。これが反応です。　赤ちゃんは、刺激に反応し、少しずつ学習しながら脳の中で神経回路を伸ばしているのです。反射が反応に変わるということは、それだけ脳が発達したことですから、お母さんは積極的に刺激を与えて、赤ちゃんの反応をじょうずに引き出してあげましょう。カリキュラム　1ヵ月半～3ヵ月半ごろ　首すわり期　脳の神経細胞がさかんに発達して積極的な探究心が芽生えてくる時期。この時期のポイント●新しい刺激で、好奇心を満たす。●繰り返し刺激を与え、反応したらほめてあげる。●腹ばいで、筋肉の緊張と弛緩を教える。赤ちゃんの意思や心が発達してきて、脳の神経細胞が発達するスピードも加速度を増してきます。もう反射期のような弱々しさはなく、周りを見回し、音に反応し、手で物をつかもうとする積極的な探求心も出てきます。手で物をもうとすることはとても大事なことですが、そのときの脳の働きは次のようになっています。　まず、目で対象物を見た情報が視覚野に送られ、次にその情報が頭頂連合野に伝わり、ここで対象物の位置を把握します。そして、こんどはそれが手の運動連合野に伝わります。この手の運動連合野は、物を握るときにも離すときにも働くところですが、運動の順序を決めて、それを運動野に伝える働きをします。こうして、その指示が最後に運動野に伝わって、手が伸びていくのです。この一連の動きは、手の「視覚接近運動」といって、手の動きの基礎となります。　ですから、赤ちゃんが興味を持ったものに手を伸ばすことは、とても意味のあることなです。赤ちゃんが自分から手を出してさわってみたくなるように、おもちゃを見せてじょうずに誘ってみてください。　音にも反応し、音の出たほうに顔を向けて確かめようとします。お母さんが声をかけて近づいていくと、顔と声で、お母さんが来たことを理解します。このように、多種の感覚を連合することができるようになります。カリキュラム　3ヵ月半～5ヵ月半ごろ　おすわり期　好奇心、探究心がますますさかんになる時期。指先や、予測能力を伸ばす練習を。この時期のポイント●同時にいろいろな感覚を磨く。●リズム感覚を養う。●四つんばいの練習で、おすわりやはいはいの準備。好奇心、探究心がますますさかんになって、絶えずキョロキョロあたりを見回し、目についたものをさわったり、口に入れて自分で確かめようとします。できるだけお母さんが相手をして、旺盛な好奇心を伸ばしてあげましょう。手で物をつかんだり離したりできるようになったら、こんどは引っぱることも練習します。こうして少しずつ高度な手の動きを覚えていきます。　4～5ヵ月ごろになったら、そろそろリズム感を養う働きかけも始めましょう。リズム感は、歌を歌ったり楽器を演奏するときはもちろんのこと、体を動かすときの基礎にもなりますから、しっかり身につけておきたいものです。また、リズム感は言葉をしゃべるときにも役立ちます。しゃべるときは、頭を働かせて、一定の間隔でリズムを持って言葉を口に出しますが、その基礎づくりは、このころすでに始まっているのです。　体の面では、繰り返し腹ばいを練習して、早くはいはいができるように手助けしてあげてください。ひじを曲げたまま前進したり、おしりで進んだりする“個性的な”はいはいの赤ちゃんを見かけますが、おかしなはいはいは筋肉のつき方や、体を動かす順序もまちがったまま脳に記憶されてしまいます。手や足の力を均等に発達させるためにも、お母さんがじょうずに導いて、きれいな（正しい）はいはいを身につけさせてください。カリキュラム　5ヵ月半～8ヵ月ごろ　つかまり立ち期　外の世界への理解が深まる時期。集中力、思考力を養いましょう。この時期のポイント●きれいなはいはいができるように、腕や足の筋肉を鍛える。●遊びを通して、集中力と考える力を養う。●平衡感覚を養う。知的な面がグングン伸びる時期。昨日できなかったことが、今日はできるようになっていることもあります。働きかけに対してはっきり反応してくれるし、お母さんにとってもやりがいが出てくるでしょう。　目で見たり、耳で聞いたり、手でさわったりして、目覚ましく発達してきた感覚器を使って、物の本質を理解しようとする時期です。外の世界に対する理解も、今までより格段に深まります。　手に関しては、この時期は、小さなものをつまむ、はさむ、突っ込む、つつくなどの、指先を使う練習をたくさんさせてください。これは、脳の発達を促します。　赤ちゃんは、最初、小さなものに気づくと、指でつかもうとします。けれども、6～7ヵ月ごろだとまだ指先がうまく使えません。9～10ヵ月ごろになると、もっと指のこまかな動きができるようになり、しだいに親指と人さし指の2本の指でつかめるようになります。そして、1才ぐらいになると、それをつまみ上ことができるようになります。これは、手を器用に使うための基礎になります。　運動パターンもたくさん覚えましょう。同時に、行動半径も広がりますから、危険から身を守ることも教えていかなければなりません。また、遊びを通じて集中力と思考力も養いたいもの。赤ちゃんが一つの遊びに夢中になっているときは、じゃましないようにしましょう。カリキュラム　8ヵ月～1才ごろ　歩き始め期　真の知能が芽生える時期。頭を使って行動するような刺激を。この時期のポイント●自由に行動させて好奇心を満たす。●言葉を学ぶトレーニングをする。●危険から身を守ることを教える。赤ちゃんの時期は、大脳の神経回路が猛スピードで作られていますが、その中でもピークは1才前後といわれています。を発達させるには、これからが最もたいせつな時期です。今までは、すわったまま体や感覚で刺激に反応する、感覚運動的知能でしたが、このころからは頭で考えて行動するようになります。つかまり立ちができ、ひとりで歩くようになると、興味をもったものには自分から目標を決めて近づくようになります。いよいよ真の知能が芽生えてきたのです。赤ちゃんにとって、歩けるようになるということは、世界が広がることで大きな意味を持ちます。　能力開発の目的は、首すわりやおすわり、はいはい、ひとり歩きが早くできるようにすることではありません。しかし、それらが早くできるようになるということは、その部分に関する脳の発達がすでにとげたことになります。　すると、さらに次の高度なステップに進むことができるので、赤ちゃんの脳を発達させるのには有利です。　人間の知的な考え方や、判断力のもとになる前頭連合野（前頭前野）も、8～10カ月ごろから働き始め、20才ごろまでに、時間をかけて発達していきます。　赤ちゃんの旺盛な好奇心を満たしてあげるためには、いっしょにいろいろな遊びをして社会性や知能を養ってあげてください。カリキュラム　1才～1才半ごろ　あんよ期　感覚野の発達が完成する時期。言葉や目で意思の疎通を。この時期のポイント●言葉のふれあいをたくさん持つ。●話すときは、目と目を合わせて。●背中や腰を鍛えて、しっかり歩けるようにする。1才ぐらいになると、運動野、視覚野、聴覚野、皮膚感覚野など、基礎となる多くの部分の回路は、ほぼ完成しています。脳そのものの重さも、生まれたときは約400ｇだったのが、1才では約700ｇと倍近くなっています。生まれてからわずか1年の間に、赤ちゃんがどれほど大きな成長をとげたかがわかります。　それは赤ちゃんを見れば、一目瞭然です。首がすわって、寝返り、おすわり、はいはい、立っち、あんよと、赤ちゃんは目覚ましい進歩をとげています。そろそろ、「ママ」「パパ」「まんま」などの単語も出てくるでしょう。1年前と比べると目をみはる成長ぶりです。これまでは、赤ちゃんの能力にそれほど大きな個人差はなかったのですが、1才を過ぎて歩き始め、片言を話すようになると、だんだん個人差が出てきます。赤ちゃんの能力をさらに伸ばすためにも、これからも続けてお母さんがいい環境を与えてあげることがたいせつです。いい環境とは、赤ちゃんにさまざまな刺激を与えられる環境のことです。それによってますます脳が発達していきます。特に、これからは言葉によるやりとりをたくさん持つように心がけてください。言葉を覚えることと知能の発達は、深く関係しているからです。カリキュラム　1才半～2才ごろ　じょうずにあんよ期　前頭連合野<前頭前野）を活発に働かせる時期。たくさんの新しい体験を。この時期のポイント●外の世界をたくさん見せる。●しっかり物を見つめるトレーニング。●形や色の感覚を豊かにする。●いろいろな運動パターンを覚える。生きていくために欠かせない、基礎的な部分の脳の神経回路は、もう大部分できあがりました。前頭連合野も、これまで以上に活発に働くよう、新しい体験や環境の場をたくさん作ってあげましょう。　この時期は特にいろいろなものを見せる訓練をたくさんしてください。赤ちゃんのころのように反射で物を見るのではなく、今は自分の意志でしっかりと見るようになっていますから、公園や町の中、スーパーやデパートなどにも連れ出して、外の世界を見せてあげましょう。指先も器用になって、小さなものもつまめるようになり、細かい作業もできるようになりました。　歩き方もじょうずになりました。けれども、まっすぐ歩いたり、横に歩いたり、後ずさりしたりする“応用編”を、これからの練習でしっかり身につけさせてください。また、危ないときはとっさに立ち止まれるようなテクニックも身につけさせます。　社会性や知能を働かせる遊びは重点的にやりたいものですが、同時に、日常生活の基本やマナーなどのしつけもしていきましょう。　個性もはっきりしてきます。子どもの得手、不得手をよく観察して、興味を持つ方向の能力を伸ばしてあげるとともに、苦手な分野も少しでも上達するように努力させましょう。

赤ちゃんの脳を育む本

久保田　競

主婦の友社

はじめに
脳を育む

21世紀になってからの世界の脳科学（神経科学）の進歩は、実にめざましいものがあります。

脳の局所の血液の流れを調べ、脳の働きがわかるようになってきました。

思考、記憶、類推、洞察、創造といった精神活動がどのように行われるかわかってきたのです。

しかし、今のところそれは大人の脳のことであって、赤ちゃん・子どもの脳のことは、少しわかり出したところです。残念ながら、育児や教育に応用できるほどにはなっていません。科学的な子育て法は確立していないので、従来からのやり方、経験でつくられてきたやり方を踏襲するしかないのです。

私は、1980年ごろから、脳を強く育てる「赤ちゃん教育」が大事であると、自らの体験と脳発達の研究成果から主張してきました。最近では、私のやり方で育てられ、社会で活躍する人も出てきています。

本書でも、最近の脳科学の成果を踏まえて、賢い子どもに育てるには、前頭連合野を育てることが大事であると主張しています。私が考案したメソードでは、知識を増やすことだけでなく、運動・感覚・社会性・情操面もふくめてあらゆる分野をバランスよく発達するように、いろいろなワークを勧めています。

2003年ごろから、世界の知能の研究者も脳の働きを調べるようになり、2007年初頭までですでに37の論文が発表されています。また、近年の研究で、『知能指数の高い人（IQ130以上）』の脳では、前頭葉の前頭極（ブロードマンの10野、7ページ）、46野、45野、32野、6野が、『知能指数がそれ未満の人』よりも大きいということがわかってきました。本書で書かれていることを実行すれば、これらの領域は大きく、よく働くようになり、知能指数も高くなります。また、男の子では、第1子の方が、第2子より、知能が高くなる傾向があるということが研究であきらかになりました。しかし、第2子でもそのことに留意して育てれば、知能は伸ばせます。

赤ちゃんは、自分で脳力を高めることはできません。わが子を賢い子に育てようと思ったら、赤ちゃんが生まれた日から脳の訓練は親が始めなければなりません。脳を使うと、情報を伝える神経細胞が働き、神経細胞間のつながりが強くなっていきます。また、神経細胞の数も増えていきます。その結果、使われた脳の領域が大きくなります。

逆に使わないと、つながりが少なくなり、脳の領域が小さくなります。“発達期に脳が大きくなるのはいいことだ”と、私は確信していますが、この考えが普遍化するには、まだまだ脳研究が必要です。

本書を参考に、未来の日本を創っていける日本人をぜひ育ててください。

2007年7月　**久保田　競**

CONTENTS

撮影に協力してくれた
赤ちゃんたち

＊

石田智聖ちゃん
石松和憲くん
石見こころちゃん
禹沇序ちゃん
大原隆之介くん
小野剛寛くん
槐島帆花ちゃん
佐伯美玲ちゃん
芝崎義盛くん
谷口俊介くん
中居優太くん
中居祐充果ちゃん
野坂涼馬くん
長谷川実咲ちゃん
遙花ちゃん
三井愛美ちゃん
安田健人くん
山中太郎くん
若林仁菜ちゃん

カリキュラム編

STAFF
装丁・デザイン：菊谷美緒（スーパーシステム）
編集協力：長谷川華
校正：安倍健一
撮影：澤崎信孝、山田洋二（以上 主婦の友社写真室）
撮影協力：尾崎薫、福田美登利（以上 主婦の友リトルランド『赤ちゃん能力開発教室』講師）
編集・制作：相場静子（主婦の友リトルランド）

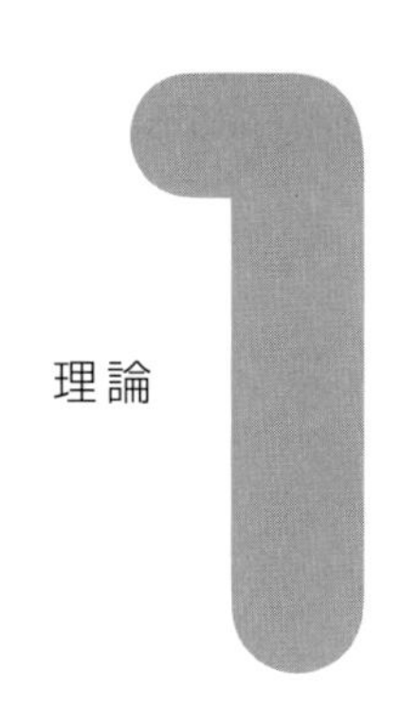
理論

“赤ちゃんの脳を鍛える”本題に入る前に、まずわたしたちの大脳がどうなっていて、どんな働き方をしているか知っておきましょう。

最近は、脳科学をテーマにした本がたくさん刊行されているので、「前頭葉」や「前頭連合野（前頭前野）」という用語を、ご存知のかたもいると思います。この10年、脳科学の研究は格段に進歩しました。特に21世紀に入ってからは、MRI（磁気共鳴イメージング）などの発達により、次々に新しい研究論文が発表されています。

それらの最新情報を取り入れながら、簡単におさらいしてみましょう。

脳の働きをもっとよく知ろう

脳の地図で、働き方を知りましょう

脳の中でもっとも高等な働き方をしているのは、大脳皮質です。この大脳皮質とは、脳の表面にあたる部分ですが、ここは場所によってそれぞれ違った働きをしています。

7ページの図１は、ブロードマンが約100年前に作った、脳の地図です。働き方に１番から52番まで番号がふってあり、それぞれに名前がついています。最近のMRIを使った研究とも一致する部分が多いので、“脳の働き”を解説するときに、この地図を使うことが多くなりました。この地図を参考に、脳の各分野を説明しましょう。

脳のちょうど真ん中、両耳を結ぶ線の下あたりに、中心溝と呼ばれる大きな溝があります。この中心溝より前が前頭葉、後ろが頭頂葉で、そのさらに後ろが後頭葉です。この後頭葉から横に延びている部分が側頭葉です。

脳の表面はこのように前頭葉、頭頂葉、後頭葉、側頭葉の4つの領域に分かれています。

いちばん高度な働き方をするのが、前頭連合野（前頭前野）です

前頭葉の前半分を前頭連合野といい、ものを考え、判断する処理・行動をつかさどっています。「考えて動かす」ときに働くのが前頭連合野（前頭前野）です。ここは、いちばん高次（高い次元）な場所であり、命令するところです。特に、前頭極（10野）は、高級な働き方をするときに働きます。人間と大型

図１　ブロードマンの細胞構築地図
脳は、場所により分業して働いています

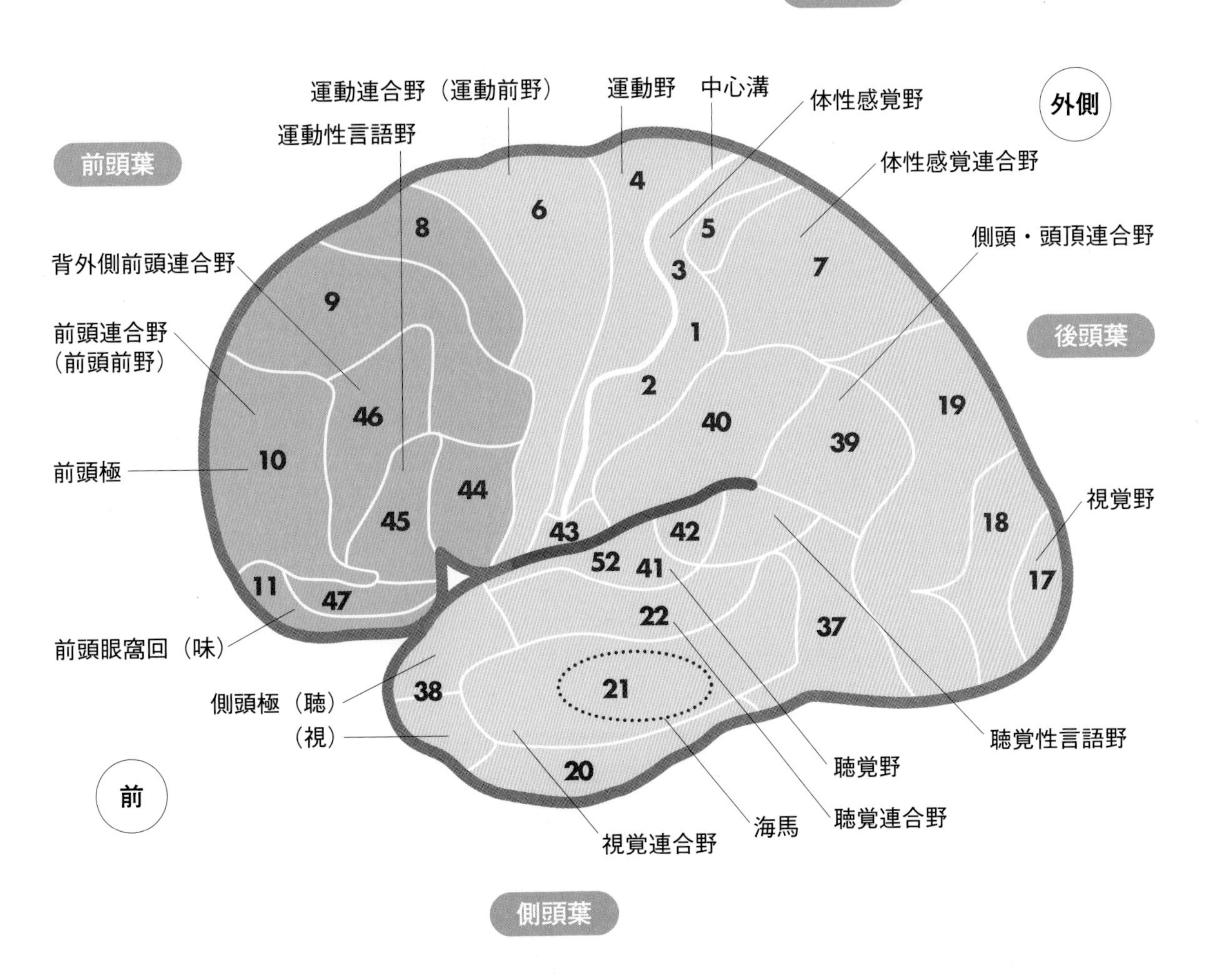

の類人猿にしかありませんが、人間がよく発達しています。

高級な働き方とは、複雑な行動を起こすときなど、脳の高次な働き方（運動より行動のほうが、質が高い）のことです。この前頭連合野を鍛えることが、脳を鍛えるということなのです。

脳は、場所により分業して働いています

中心溝のすぐ前の部分は運動野です。ここは、体の各部分の筋肉を目的に合うように動かし、外界に適応するところです。ほかにも、体にふれた情報を受けとる皮膚感覚野、目で見た情報を受けとって処理する視覚野、耳で聞いた情報を受けとる聴覚野と、場所ごとにこまかく役割が分かれ、各部分が分業して働いているのです。

ちなみに、「連合野」の「連合」とは、2つ以上の心理過程が結びつくことを意味します。たとえば、食べたいという心理と食べるという行為が連合することで人はものを食べられるわけです。「連合野」は高次な精神機能といえます。

また、脳の中で働いていない分野はひとつもありません。脳の中は、まことに緻密にできているのです。

脳は、階層的（ヒエラルキー）な働き方をします

脳は分業していますが、では各部分がお互いにどんな仕組みで情報を伝えるのでしょうか。

たとえば、お母さんの顔が見えるということを例にとりましょう。お母さんの像が目から入ると、それは、17野、18野、19野、複雑な視覚は21野へと情報が伝わっていきます。それらがまとまって頭頂連合野（39野、40野）へ情報が入っていくと、“お母さんが見える”という現象になるのです。

同じように、皮膚に感覚が生じるということは、1野、2野、3野（皮膚感覚野）から5野、7野（体性感覚連合野）へ伝わり、さらにそこから39野、40野（頭頂連合野）へ伝わって、ふれられているという感覚になります。

音を聞くときには、耳から刺激が入り、41野（聴覚野）、22野（聴覚連合野）、39野（頭頂連合野）に伝達されます。

このように、脳の中では同じような働きをするところだけがつながって、情報が次々に複雑で高次なところに伝達されます。これを、脳は階層的（ヒ

図2 脳は階層的な働き方をする

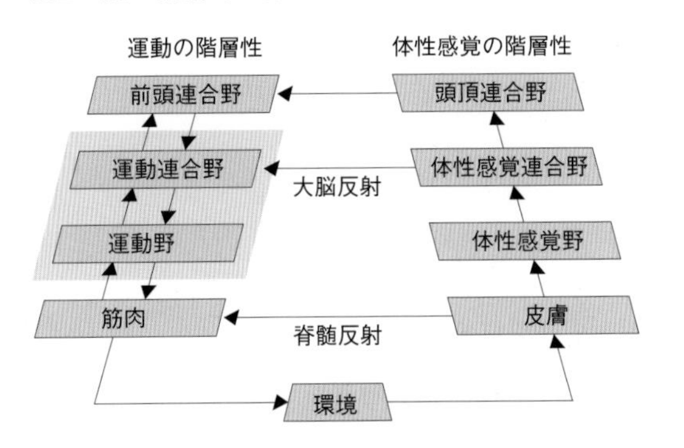

図3b ドーパミンが分泌される回路

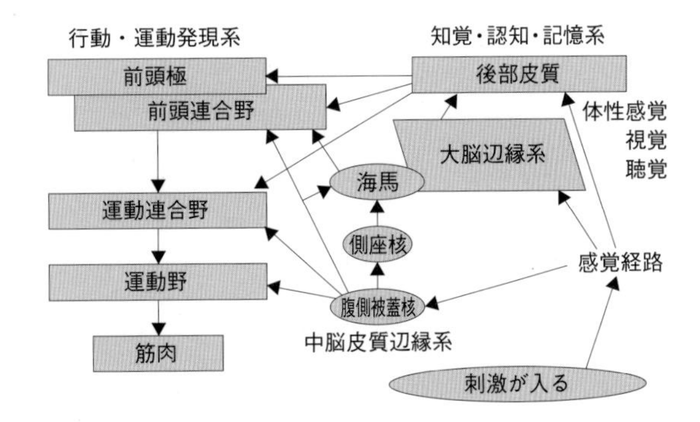

エラルキー）な働き方をすると呼んでいます。（図２参照）

ちなみに、働く系統が異なる運動野と感覚野はつながっていません。

脳の働きに威力を発揮する、"脳内麻薬"ドーパミン

脳の情報伝達には、同じ働きをするところだけがつながって働く（脳の階層性）と述べましたが、これとは別に、脳全体にわたって影響を及ぼすシステムがあります。そのカギが"脳内麻薬"ともいわれるドーパミンです。

気持ちのよい刺激を受けたときに、腹側被蓋野（ふくそくひがいや）が働き、ドーパミンが分泌されます。そのドーパミンの影響で、思考をつかさどる前頭連合野（前頭前野）も、記憶を助ける海馬も、筋肉運動を起こす運動連合野も働きがよくなります。（11ページ図３ａ．図３ｂ参照）

運動の面では、スピードが速くなったり、敏捷になったり、手足が器用になったりします。思考の面では、考える力、注意力、判断力、記憶力も増します。

では、腹側被蓋野をよく働かせるにはどうしたらよいか？―"快感を起こす刺激が効力を発揮する"ということが、サルの実験でわかりました。

人間の大人では、人を好きになる（恋人の写真を見せる）、おいしいものを食べるなど気持ちのよくなる刺激は全部ドーパミンが働きます。特に大人にとってはお金を得ることはとても効果があります。

赤ちゃんの場合は、大好きなお母さんにほめられることでドーパミンが活発に分泌されます。脳を鍛える練習のときは、それを応用するとよいのです。（17ページ参照）

図4
神経細胞（ニューロン）

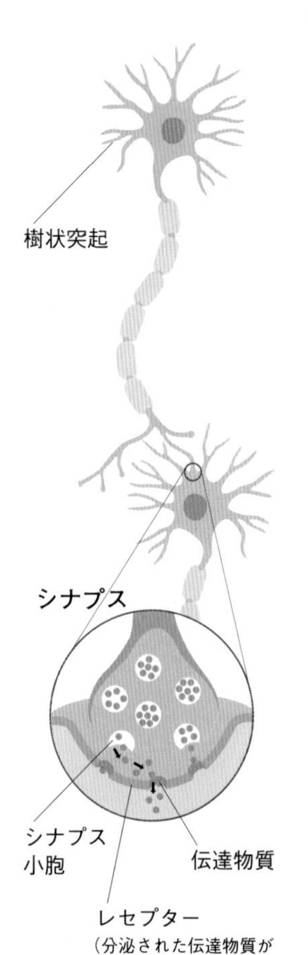

シナプス同士が結合して回路ができ、情報が伝わります

今までは情報がどのような経路で伝達されていくかを述べましたが、その情報を伝達するのが神経細胞（ニューロン）です。神経細胞の突端にシナプスがあり、シナプスの先端にあるシナプス小胞から、神経伝達物質が出て、次のシナプスに情報が伝わります。活動電流がつながって次々に情報が伝達されることを、“脳が働いている”といいます。（図４参照）

目で見たり、音を聞いたり、舌でふれたりして赤ちゃんが新しいことを経験すると、脳に情報が送られてこのシナプスができ、脳の回路が新たにつながります。いろいろなことをたくさん経験すればするほどシナプスがたくさんできて、この回路が密になっていきます。

シナプスは、生後すぐから急激に増え始め、場所によっても違いますが、３～４才ころまでがピークになります。だから、この時期は、たくさんの刺激を与えて脳の発達を促したいのです。（11ページグラフ１参照）

一方で、つながらなかったシナプス、回路がつながっても時を経て不要になったシナプスは消えていきます（これを“刈り込み現象”といいます）。「消えてしまうシナプスなら、はじめから刺激を与えなくてよいのではないか」という理論もありますが、私はそうは考えません。

シナプスは、使うと減り方は少なく、使わなければ減り方は多いのですから、やはり刺激を与えてシナプスの数を増やすことは重要です。脳の発達場所は月齢によっても違います。少なくとも、0～３、４才まではすべての分野を鍛えるために、刺激を与えることが必要なのです。

では、シナプスの増加がピークを過ぎると脳は発達しないかというとそんなことはありません。シナプスが増えて回路が密につながり、神経細胞を通して情報が各分野にいきわたり、各分野が働くことがすなわち脳が発達するということです。

大脳皮質の厚みが増えることを脳が発達するというのですが、ヒトの大脳皮質の厚みは60才くらいまでは増え続けます。人間は、いつでもいろいろな刺激を与えることによって、前頭連合野を鍛えることが可能なのです。（11ページグラフ２参照）

図3 a
脳の働きに威力を発揮するドーパミン
※ピンク色の部分がドーパミンが働く

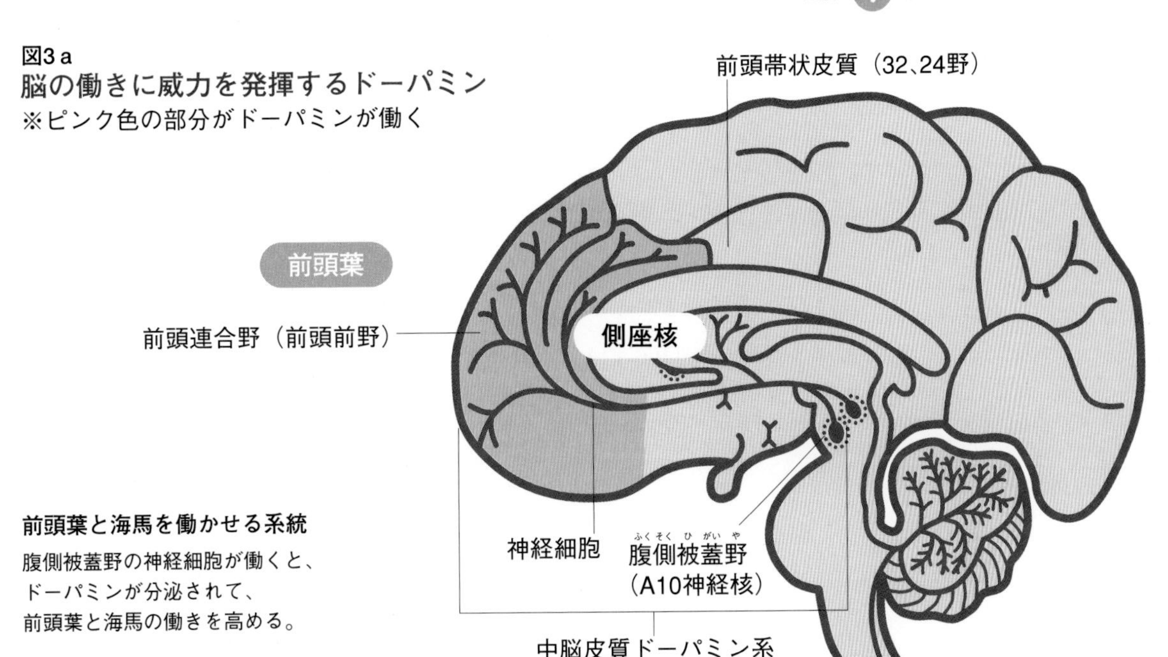

前頭葉と海馬を働かせる系統

腹側被蓋野の神経細胞が働くと、
ドーパミンが分泌されて、
前頭葉と海馬の働きを高める。

運動野：運動が速くできる
運動前野：手先を器用に働かせる
前頭前野：ワーキングメモリー、考える力、注意力、推理力、決断力、計画性
前頭極：ブランチング課題（入れ子の課題）、エピソード想起、創造性
海馬：陳述記憶、意味記憶を強くする

グラフ１　年齢とシナプスの増え方の関係
（1979年ハッテンロッカーによる）

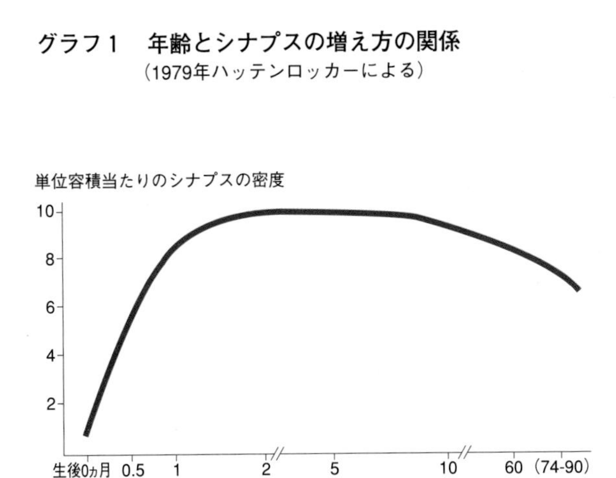

グラフ２　年齢と脳の重量の増え方
（1979年ハッテンロッカーによる）

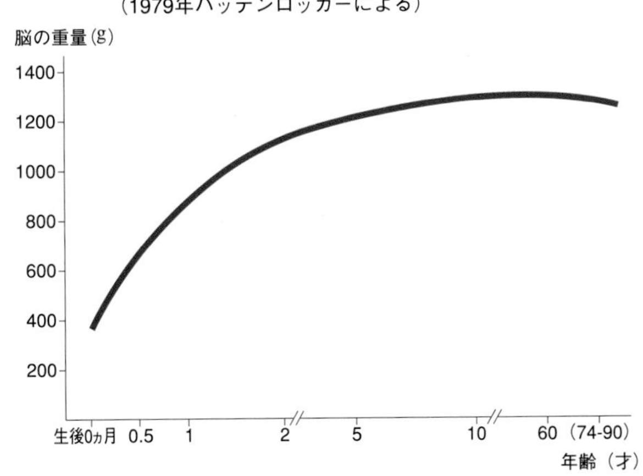

0～2才の育児では、こんな“脳の鍛え

生まれてすぐから、脳の活動は始まっています

生まれたばかりの赤ちゃんは、ふれる場所（皮膚感覚野）と、見る場所（視覚野）、手足や首を動かす場所（運動野）が活動しているだけで、記憶したり、認知したり、考えたりする高度な働きを受け持つ場所は、まだほとんど働いていません。

しかし、月齢が上がるにつれ、だんだん脳の多くの場所が働き始めます。そして、各回路がほぼ完成するのは、目の情報を受ける視覚野が生後3ヵ月ぐらい。聴覚野はもっと遅くて2才ぐらいです。

見る、聞く、ふれる、味わう、においをかぐといった感覚野への回路は、1才ころまでにはほぼでき上がります。また、体の筋肉を動かす運動野も1才くらいまでには大人に近い状態まで完成します。つまり、人間の基本となる能力の大部分は、1才にはほとんどでき上がっているということです。

これに対して、高等な働きをする場所の回路は、でき上がるのがもっと遅くなります。感覚野から伝達された情報を知覚して認知する頭頂連合野は、3～4才。側頭連合野は5～6才ごろに作られます。

もっとも高度な働き方をする、考えたり判断したりする前頭連合野になるとさらに遅れて、生後6～7ヵ月からだんだんと作られ始め、20才ごろにやっと完成します。

脳がもっとも発達する3～4才ころまでに、あらゆる刺激を与え、体を動かすことがたいせつ

脳を発達させるうえで大事なことは、繰り返し刺激を与えて赤ちゃんの脳に情報を送り込む、神経回路のシナプスを強化することですが、それにはふさわしい時期があります。

その部分の神経回路がどんどん作られている最中に、タイミングよく刺激を与えると、シナプス同士がつながりしっかりした回路になります。

たとえば、視覚は1～２才で完成しますが、赤ちゃんを2才まで真っ暗な部

屋で育てて、モノをいっさい見せないでいると、その赤ちゃんは目が見えなくなります。（これはサルの実験で証明されました）

視覚を育てるための刺激を与えるにふさわしい時期を逃してしまったために、見るための神経細胞の回路が作られないからです。

同じように、生まれてから3才になるまで全く言葉を聞かせず、しゃべらせることもしないでいると、その子は話せなくなります。

では、そのふさわしい時期とは、いつでしょうか？　先に述べたように、脳の場所によって回路のできる時期が異なるので、それぞれにふさわしい時期がありますが、総じていえば、0〜3、4才ごろがいちばんのチャンスといえます。

方”が効果的

このチャンスを逃さずに、いろいろなものを見せたり、音を聞かせたり、さわらせたり、体を動かしたりして、あらゆる刺激をたくさん与えてあげたいものです。そうすれば、脳のあらゆる場所が活発に働いて脳が発達し、また社会性も生まれてくるはずです。

逆に、「うちの子はおとなしくて手がかからないので助かるわ」と、寝かせっぱなしにしたり、一人ぼっちで何時間もテレビやビデオを見せておくなどは、脳の発達にとってもけっしてよいことではありません。

脳をよくするための、5つの効果的なシステムとは？

赤ちゃんの脳を鍛えるために、“いつ、どんな刺激を与えたらいいか？”は、この本の20ページ以降のカリキュラムを参考にしてください。それを実行するにあたって特にたいせつなこと（知っていると得をする耳より情報）をお教えしましょう。これは、私をはじめいろいろな脳科学者の研究によって、最近明らかになったことです。

① ワーキングメモリーシステム（一時記憶。46野）を鍛える。
② ミラーニューロンシステム（鏡・神経・系）を鍛える。
③ NO －GO（何かを積極的にしないこと）を覚えさせる。
④ ストループテストで、行動のきりかえを鍛える。
⑤ ドーパミンシステムをよく働かせる。

1 ワーキングメモリーシステムを鍛える

ワーキングメモリーシステムとは、通常の記憶とは異なり、一時的に覚えておいてやり終わったら忘れてよい、行動がすんだらいらなくなる記憶のことです。ワーキングメモリーシステムは、前頭連合野で保持されていることを、わたしが1973年に発見しました。

1988年にサルの実験で確認され、ついで98年にヒトの実験でも確認されました。

ワーキングメモリーシステムは、すべての前頭前野（前頭連合野）の働きのいちばん基礎になります。ワーキングメモリーは46野に保存され、記憶したことを覚えておくのは8野で保存されます。使って鍛えるほど、脳は刺激され発達します。

たとえば、3、4ヵ月の赤ちゃんでは3～4秒、10ヵ月の赤ちゃんは平均10秒覚えていますが、早い時期から鍛えていくと、ワーキングメモリーが長く働かせることができるようになります。（10ヵ月で20秒くらいになります）

具体的な遊びで説明しましょう。みんながよく知っている遊びに、「いない、いない、ばあ」（36ページ）があります。

「いない、いない」と言って赤ちゃんの顔をタオルで隠し、「ばあ」でタオルをとってお母さんの顔を見せます。最初は、赤ちゃんはお母さんの顔が見えたことでうれしいのですが、2回目からは、覚えていたお母さんの顔が見えたことで喜びます。

これが、ワーキングメモリーシステムが働いたということです。

月齢が高くなってからも、高度な「いない、いない、ばあ」（61、77ページ）でワーキングメモリーシステムを鍛えましょう。

同様に、布や物でおもちゃを隠し、探させる遊び（62、78ページ）も脳を鍛えます。

前頭連合野の中でも、10野（前頭極）は、特に複雑なこと（たとえば、2つの作業を同時進行する）をするときに働きます。大人の場合では、料理をすることは、いろいろな作業を同時にすすめ10野をさかんに使います。年配になって脳を鍛えるときにおすすめの訓練法です。

赤ちゃんの場合、一つの目的があって何かをやらせるとき、ついでに簡単な別のことをさせるのがそれにあたります。たとえば、おもちゃを片づけさせるついでに、ちょっとしたほかのことをさせる（別のおもちゃを持ってこさせる）とワーキングメモリーシステムを使って10野が鍛えられます。これを特に、『入れ子の課題』といいます。

主にやることがあって、ついでに何かをやらせるのが入れ子の課題で、大人では、「運転しているときに、音楽を聴く」こともそれにあたります。

2 ミラーニューロンシステムを鍛える

ミラーニューロンシステムとは、動作、行動を“見て・理解して・まねをする”システムです。このシステムは、94年にサルの実験で、ついで95年にヒトの実験でわかってきました。

サルが食べ物を口に持っていったとき、神経細胞では6野にあるミラーニューロンが働きますが、それを見ているサルも同じ6野の神経細胞が働くのです。これを、鏡のようなシステムということでミラーニューロンシステム（鏡・神経細胞・系）と名づけられました。

ミラーニューロンシステムとは、見ているだけで運動がやりやすくなるシステムです。また、このシステムは手、顔、足などのあらゆる運動にあることが、2003年になってわかってきました。

この本で紹介したカリキュラムをはじめて赤ちゃんにさせるときにも、お母さんが最初にまずやってみせることがとても重要です。

たとえば、積み木遊び（83ページ）を例にとりましょう。

①.まず、お母さんがやってみせる
②.赤ちゃんといっしょにやる
③.赤ちゃんにやらせる

の3段階を踏んで、繰り返しやってみましょう。何回もやらせると、それが何をやろうとしているか赤ちゃんは理解していきます。

運動はもちろん、感覚、感情を表現する・理解するのにもすべてミラーニューロンシステムが働きます。お母さんが怒った顔をすれば、赤ちゃんも怒りのミラーニューロンシステムが働き、お母さんが笑えば赤ちゃんもご機嫌なミラーニューロンシステムが働くというわけです。

お母さんと赤ちゃんの「にらめっこ遊び」（60ページ）は、ミラーニューロンを鍛えるという点で、脳の発達にとてもよい刺激をもたらします。

「にらめっこしましょ。笑うと負けよ、あっぷっぷ」といっしょに遊ぶことは、お母さんの怒った顔や笑った顔、表情豊かないくつもの顔を赤ちゃんに見せることで、さかんに刺激を与えます。早い時期からどんどんやって、赤ちゃんにも覚えてもらいましょう。

見ることや聞く・話すことでもミラーニューロンシステムは働きます。お母さんがしゃべって、赤ちゃんにまねさせる……この繰り返しで赤ちゃんはうまくしゃべれるようになっていくのです。見たもの、聞いたものがどういう意味を持っているか、理解するようになっていくのです。

まねをして繰り返ししていくことは脳の発達につながっています。

“まねすることは創造性の発達”であり、前頭連合野（前頭前野）の発達につながっていきます。

ちなみに、「サルまね」という言葉がありますが、サルは理解するところまで発達しません。「まねすることは創造的なことであり、けっしてサルまね」ではないのです。

3 NO－GO（何かを積極的にしないこと）を覚えさせる

“積極的にしないこと”を教えることを、NO－GO（ノーゴー）といい、8野の中枢細胞が働きます。早い時期から、“しなかったらほめる”ことを教えましょう。

たとえば、赤ちゃんがコンセントをいたずらしかけたら、停止させてやらなかったらほめます（説明して、理解させてやめさせる）、積極的に何かをしなかったらほめて教えることです。（60ページ）

ほかにも、「食卓ではなく、別の場所で食べなかったらほめる」もそうです。

歩けるようになったとき、「信号が赤なら止まる、青はGO」など、社会のルールに従うことを教えることも、抑制細胞を働かせることになります。

NO－GOは、育児のあらゆる場面で遭遇し、実践することによって脳を鍛えます。NO－GOは、何かを積極的にしないということで、我慢とは違うのです。

我慢しなくてもいけないと教えられたことがすんなり守れるということがNO－GOで、これが小さいころから鍛えられると、成長してキレる子どもは減っていくと思われます。

4 ストループテスト（課題）で、行動のきりかえを鍛える

ストループテストとは、ストループというアメリカの心理学者が35年に考案したテストです。2種類の性質を持った刺激で、どちらかをすばやく選ぶことで脳を鍛えます。ストループテストとはどんなものか、よく試される色文字を使った課題で説明しましょう。（大人用）

どちらを選ぶかを決めるのは前頭前野の46野、すばやく反応するときには運動前野と運動野が働きます。答えを間違えると前頭帯状皮質が働き、脳幹にある青班核が働いて、脳や脊髄の神経細胞

ストループテストの例題

例1

赤	緑	黄
緑	黄	赤
黄	赤	緑

例2

赤	緑	黄
緑	黄	赤
黄	赤	緑

例3

3	8

例4

3	8

【例1、例2】

例1では、漢字の意味を聞くテストです。これは、普通に声を出して左から横へ読んでもらいます。例：あか、みどり、きいろ、みどり……となります。

次に例2では、ここでは、漢字の色を聞く条件です。

例：はじめの文字は「みどり」と読みます。2番目の文字は「きいろ」、3番目「みどり」、4番目「あか」……すばやく反応して、間違えずにできたでしょうか？

例1と2では、当然時間差が出ます。個人差があるので目標数値はありませんが、前日やったときと時間がどう変わったかを記入していきます。

別な課題を考えてみましょう。数字の3、8と書いたカードが2枚あります（例3）。「数が大きいのはどっち？」の質問には、8が答え。「数の形が大きいのはどっち？」の質問には、3を選びます。どちらもすばやく答えます。同様に例4のカードでもやってみましょう。

にノルアドレナリンという伝達物質を出します。そして、いろいろなものに注意が働くようになり、失敗しなくなるのです。

次に、2才児のストループテストを紹介しましょう。巻頭引き出しの裏は2才児用のストループテスト教材です。この裏面に厚紙を貼って、それぞれの形のカードに切りわけます。

やり方は、はじめのころは「赤のカードはどれとどれかな？」「三角のカードを取ってください」など、色と形の違いで問題を出します。これができるようになったら、カードの位置を覚えさせてから伏せて、同じ色をめくらせるという、ワーキングメモリーもあわせて働かせる、高度な課題（109ページ）です。このテストは、ものごとの決断が早くなり、ワーキングメモリーの威力が高まり、手をすばやく、器用に働かせるようになります。

慣れると早くできるようになりますから、２才になったら、教材を使ってやってみましょう。

5 ドーパミンシステムをじょうずに利用する

ドーパミンのことは、9ページで詳しく説明しましたが、これを利用すると脳を鍛えるレッスンが、非常にやりやすくなり、また効果も大きくなります。

ドーパミンを分泌する腹側被蓋野は、従来「やる気を起こす領域」とされてきましたが、最近の研究で「快感がわかる領域」ということもわかってきました。大人でも、おいしいものを食べたとき、ほめられたとき、恋人の写真を見せられたとき、チョコレートなど好物を見せられたときなど快感を起こす刺激に遭遇すると、ドーパミンがさかんに分泌されます。

「快感がわかる」+「やる気を起こす」は、何かをやらせるときに相乗効果で効力を発揮します。カリキュラムを実行するときにも、とにかくほめて気持ちよくさせてやらせるといいのです。

それは育児をするときも、子どもが大きくなっても同じです。

①何かができたらほめる

ほめられてうれしくなると、それが快感になり、さらにやる気が出てきます。たとえうまくできなくても、まずほめましょう。

けなされて育った子は自信をなくし、ほめられて育った子はチャレンジ精神が旺盛になります。

②さする、抱きしめるなどのスキンシップを頻繁に

大好きなお母さんに抱きしめられると、安心して気持ちがよくなりドーパミンが分泌します。そして、やる気がわいてきます。育児の面から見ると、心の安定した子に育ちます。

③おいしいものを食べさせる

“おいしいものを食べること”は、最高に脳によいのです。このとき「おいしいね」といってお母さんもいっしょに食べましょう。

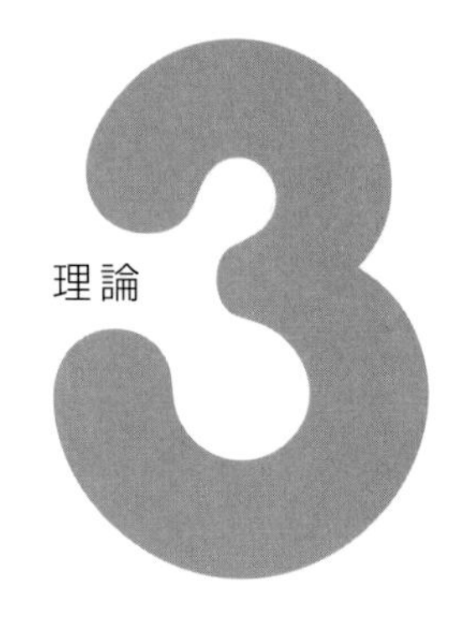

1 発達に合わせて、ちょうどいい時期にふさわしい刺激を与えましょう

赤ちゃんには個人差があります。首がすわった、おすわりができたなど、その子の様子を見て、ふさわしい時期にふさわしい刺激を与えてあげましょう。巻頭引き出しのスケジュール表は、あくまで目標値です。その時期にできなくてもあせることはありません。早い・遅いは気にしないで、それよりも基本的なことをしっかり身につけさせてください。

赤ちゃんの脳を育てる8つのポイント

2 繰り返し同じ刺激を与えることが、神経回路を強化します

脳の神経回路は、一度できていても、それを長い間使わないでいると、やがて消えてしまうという性質があります。

一日に何度も同じ働きかけをする、昨日やったことを今日もやってみる、などがたいせつです。使えば使うほど神経回路はしっかりしたものになります。

3 早くできることより、基礎が身につくことが大事

はいはいなんかしなくても、早く歩けるようになればそれでいい、という人がいますが、それは間違いです。特に運動は、一つ一つ段階を追って、きれいなおすわり、きれいなはいはいをさせましょう。なぜそれがたいせつかというと、正常な筋肉や、骨、関節の発達につながるからです。

これは、知的な面でもいえることです。あることができたら、次はもう少しむずかしいことをさせてみて、赤ちゃんが理解して行動させることが大事なのです。それが前頭前野を働かせることにつながります。いきなり理解できないむずかしいことをさせても、それは身につきません。

4 各分野の脳を、バランスよく鍛えましょう

カリキュラムは、「手」「運動」「感覚」「社会性」「知能」の５つの分野に分かれています。赤ちゃんのときは、あらゆる分野を発達させてあげたいので、各分野をまんべんなく練習させましょう。

5 途中から始めても効果があります

レッスンのスタートは早ければ早いほどいいのですが、もちろん途中から始めても効果はあります。ヒトの脳は20才くらいまで発達し続けています。もっといえば、生きているかぎり、情報を送ってやれば新しい回路は作られます。ただし、目覚ましいスピードで発達するのは0～3才ごろなので、早いほど効果的ということができます。

6 いやがったら無理じいするのはやめましょう

赤ちゃんがいやがるのを、無理にやらせても脳は発達しません。いやがるときはそのことはしばらく休み、もう少したってからトライしてみましょう。

7 うまくできたら必ずほめてあげましょう

赤ちゃんががんばってじょうずにできたときは、「わあ、じょうずにできたね」「うまくできたわね」と、必ずほめましょう。赤ちゃんはほめられるとうれしいもの。脳からドーパミンが出て、次はもっとじょうずにやろうという意欲がわいてきます。お母さんのほめじょうずが、赤ちゃんの脳を発達させるコツといえます。

8「ダメ！」のあとは、赤ちゃんの甘えを受け入れて安心感を与えましょう

食べられないものを口に入れたり、危険な場所に近づいたときは、「ダメ！」といって、してはいけないことを教える必要があります。

ただし、「ダメ」のあとは、抱きしめるなど甘えさせて、お母さんが信頼できるという安心感を与えてあげましょう。

赤ちゃんといっしょにいろいろなことをするとき、たいせつなのは親子の信頼関係です。

反射期

生まれつき備わっている反射が反応へと変わっていく時期。

この時期のポイント

たっぷり眠らせる。

*

繰り返し話しかける。

*

生活音に慣れさせる。

*

スキンシップを十分に。

この時期の赤ちゃんは、自分から外の世界に働きかけるというより、生まれつき備わっている“反射”で、外の世界に応じます。

なんでも口にふれたものに吸いつく「吸(きゅう)てつ反射」。手のひらに何かがふれると、その皮膚刺激で反射的にギュッと握りしめる「把握反射」。これは足の裏でも見られます。

まぶたにフーッと息を吹きかけると目を閉じる「瞬目(しゅんもく)反射」。足の裏や親指をつねったり引っぱったりすると、ひざを強く曲げて足を縮める「屈曲反射」。そして、頭の位置を変えると、姿勢を保とうとして目や首、手や足を動かす「迷路反射」。

これらは赤ちゃんが自分の意思で行っているわけではなく、どれも生まれつき備わっている反射です。

この時期は、この反射を起こさせるいろいろな働きかけをしましょう。何度も働きかけると、反射が強くなり、やがて刺激を与えなくても自分からやるようになります。たとえば、唇にふれていたものに吸いついていたのが、やがて自分からお母さんの乳房をさがすようになります。これが反応です。

赤ちゃんは、刺激に反応し、少しずつ学習しながら脳の中で神経回路を延ばしているのです。反射が反応に変わるということは、それだけ脳が発達したことですから、お母さんは積極的に刺激を与えて、赤ちゃんの反応をじょうずに引き出してあげましょう。

手

赤ちゃんの5本指で お母さんの小指を ギュッと握らせる

ここでは、「把握反射」という生まれつき赤ちゃんに備わっている能力を鍛えます。この反射は、赤ちゃんの手にふれた刺激が大脳に伝わり、大脳から「動け」という命令が送られて、筋肉が収縮することで起こります。生後2ヵ月を過ぎると、こういった余分な運動は抑制する動きが出てきて、しだいに消えていきますから、反射の残っている今のうちにしっかり握ることを覚えさせましょう。

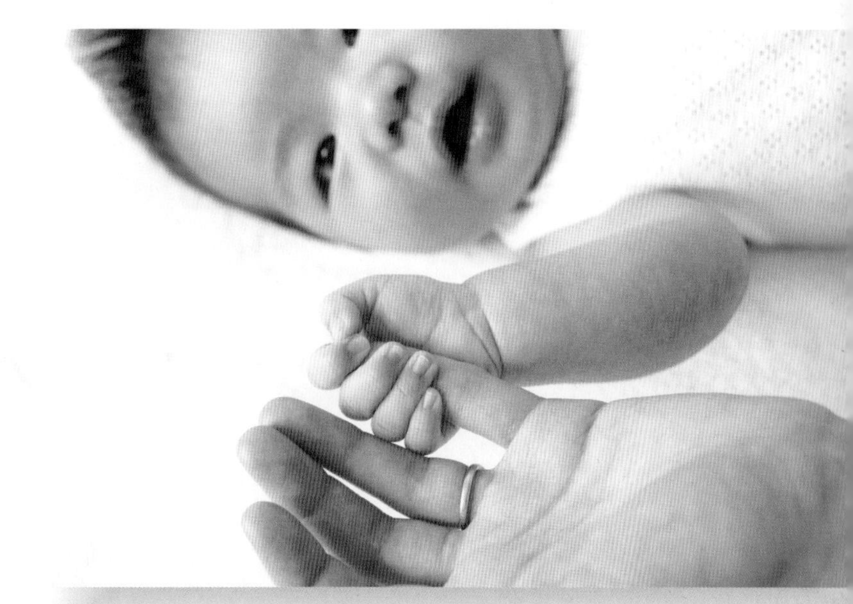

お母さんの小指を握らせ、そのまま少し揺すっても、指が離れないでしっかり握れるように練習させます。右、左とも同じようにやってみてください。

Advice

赤ちゃんの握る力が強くなってきたら、今度は両手を同時に握らせて、その手をゆっくり引っぱって、赤ちゃんの頭が床から少し離れるくらいまで体を浮かせてみましょう。

Caution

引っぱりあげるときは、赤ちゃんが指を離したときにさっと補助できるよう、お母さんは残りの4本の指を赤ちゃんの手の上にかぶせておいて！

お母さんの指だけでなく、赤ちゃんの指のサイズに合った棒やサインペンなどを使って両手で握る練習をしてもいいでしょう。

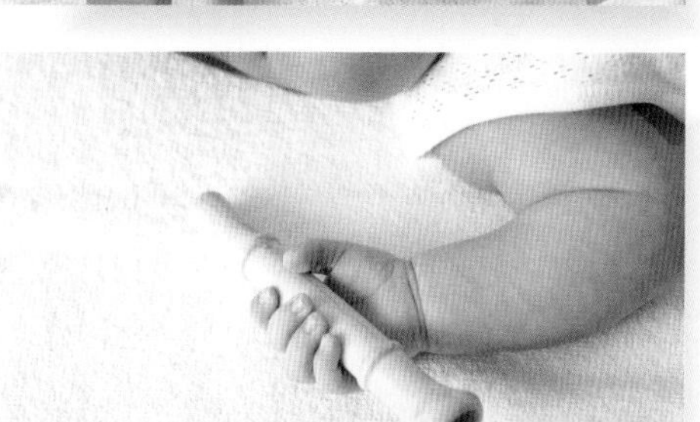

Point

親指が外に出るようにして握らせます（親指が中に入っていると力が入りにくい）。このにぎり方は大きくなってからも使う、基本のにぎり方です。

運動

うつぶせにする

寝ている赤ちゃんの頭の位置を変えると、目、首、手足を動かします。頭を右に向けると、右手と右足を伸ばし左手と左足を曲げます。さらに、うつぶせにすると手足を伸ばします。これらの動きは「迷路反射」と呼ばれるもので、この働きをつかさどっているのが三半規管です。うつぶせの練習をすることは、この反射を促すことになるので、首のすわりが早くなります。

うつぶせにし、首すじから背中にかけてのあたりを、軽くトントンとたたいたり、さすったり、声をかけたりして、頭を上げるよう促します。

すると、赤ちゃんはうつぶせの姿勢のまま頭を持ち上げ、背中をそらせます。視線も頭を上げたほうを向きます。最初のうちは、赤ちゃんは丸まったままですが、慣れてくると頭ももちあげるようになります。生まれた直後から一日に2～3回はやってみましょう。

Caution

うつぶせにするときは
※かたい布団で！
※顔は必ず横向きに！
※必ず大人がそばについていて。

おむつ体操①

一日に何回も行うおむつがえタイムを利用して赤ちゃんに体の動かし方を覚えてもらうのがこのおむつ体操です。体操は月齢に合わせて①～③まであります。この①ではおむつをとりかえることの気持ちよさと、自分の体は自分の意思で動くものだということを知ってもらいましょう。

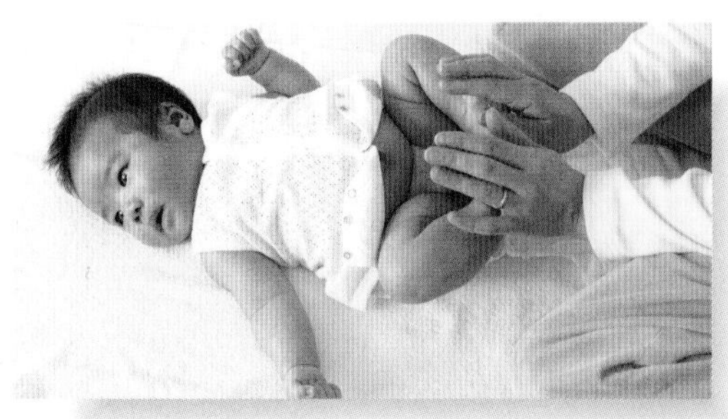

Point
はじめに「さあ、おむつ体操しようね」と声をかけて。

❶両足つんつん
おむつをはずしたら、まず赤ちゃんの両足をそろえてひざを曲げ、足の裏をお母さんの手で軽く押してあげます。それに対して赤ちゃんがけってくるように仕向けるのがポイントです。

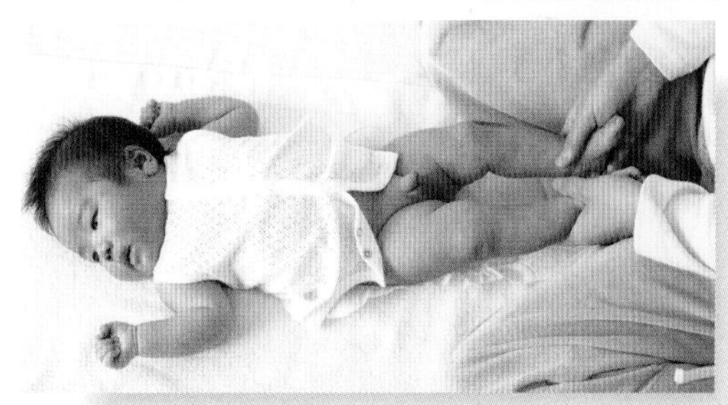

❷伸び伸びしましょ
続いて「さあ、伸び伸びしましょ」と言いながら、赤ちゃんの肩から腰、つま先まで、上から下へと何度もさすります。特に足部分をさするときは、太ももを軽く押しながらさすり、赤ちゃんがピーンと足を伸ばすように仕向けるといいでしょう。

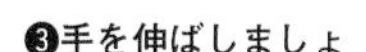

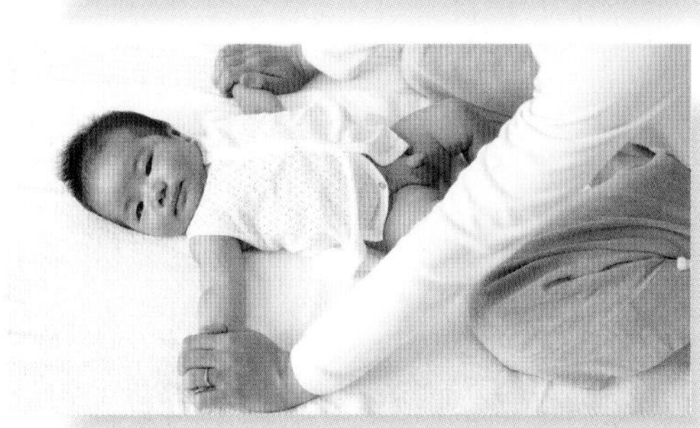

❸手を伸ばしましょ
両手を持って左右に伸ばしたら、こんどは手を胸の前に持ってきます。

Point
①～③を1日目は1回、2日目は2回、3日目は3回繰り返し、それ以後は毎回おむつがえのたびに3回ずつ行います。

Caution
必ず赤ちゃんと視線を合わせながら！

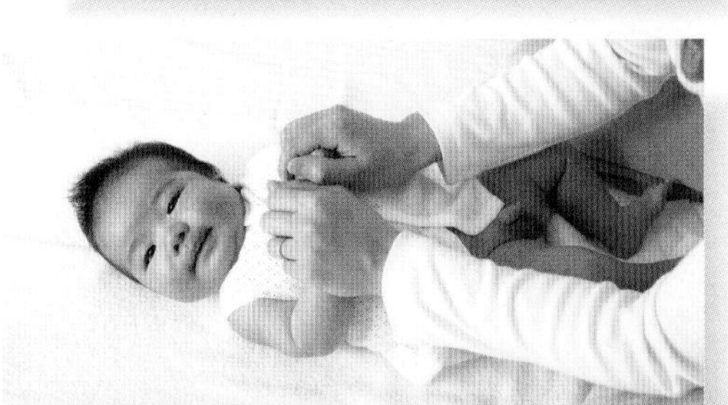

感覚

お母さんと視線を合わせましょう

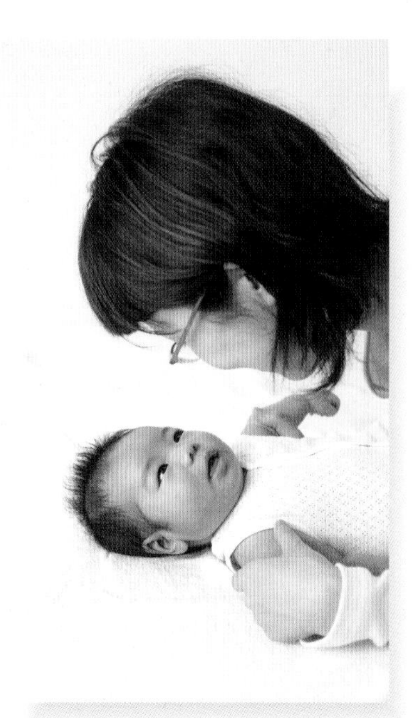

最近の研究では、生まれたばかりの赤ちゃんでもぼんやりと物が見えていることがわかってきました。ただしまだ視野はとても狭く、その中に入ってきたものしか見ることができません。そこでお母さんが声をかけながら、赤ちゃんの視野に自分の顔を入れて、赤ちゃんと視線を合わせて、こちらに興味をひくようにしてみましょう。これは「注視」の訓練にもなります。

こうすることで、目から情報を取り入れ、ものを正確に認知することができるようになります。このことは首のすわりを早くすることにも役立ちます。

久保田メソードで育った赤ちゃんたちは今

私が俊介を育てるとき、久保田競先生ご夫妻の共著による「赤ちゃん教育」に出会って、刺激を受けました。その本には、赤ちゃんの潜在能力、脳神経系統、感覚機能の発達が子どもの思考能力を決定する基礎となること、思考力の決定的土台となる感覚や感性を鍛える方法が、詳細にわかりやすく説明されていました。

特に印象深かったのは、赤ちゃんに何でも握らせさわらせる、ストローで液体を飲ませる、きちんとした言葉で話しかけるという項目で、それを初めて実践したときの子どもの様子は、今でも脳裏に焼きついております。

俊介はその後、才能教育でヴァイオリンを始め現在にいたりますが、赤ちゃん時代に実践した久保田メソードの効果は、その後の成長に多大な影響がありました。

いつも「なぜ？　どうして？　どんなふうに？」と考え、全くの白紙状態から何かを創造する意欲が強く、とことんつきつめる凝り性と

赤ちゃんにほおずりし、鼻と鼻を合わせてから、お母さんは顔をだんだん離していきます。赤ちゃんが目で追ってくるのは30cm以内くらいの範囲です（追視）。視線の合うところまでで止めて、あとはやさしく話しかけてあげましょう。上下だけでなく、左右にもゆっくりと顔を動かして、赤ちゃんのひとみの動きを誘います。この場合の視野もまだ狭く、ひとみとひとみの間の延長線ぐらいしかありません。視線が合わなくなったら動きを止めて、赤ちゃんとのコミュニケーションを楽しんでください。

Advice

ひとみの輝きが見えなくなったら、赤ちゃんが見えていない証拠です。お母さんは動くのをやめましょう。

Caution

１ヵ所に焦点を当てるのが目的です。赤ちゃんの興味を誘うように、声をかけたり、ふれたりしながら行いましょう。

Point

おむつがえのときなどに、毎日行うことが大事。

好奇心を持つ俊介は、一般の演奏活動だけにとどまらず、協奏曲のカデンツァ（独奏者によるソロ部分）の作曲、ピアノ曲や歌曲の編曲、新作音楽への取り組み、演奏スタイルの時代考証研究、文化言語学探求からホームページの作成まで、アメーバのように探究心を広げています。

人間はその感じ方考え方の集大成です。その土台を作るのは感覚運動機能と脳神経の発達です。

久保田メソードは新米お母さんの強力な味方だったと感謝しています。（母　晴恵さん）

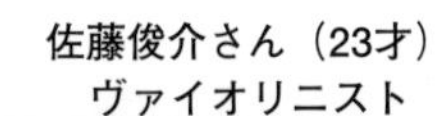

佐藤俊介さん（23才）
ヴァイオリニスト

佐藤俊介（1984年東京都生まれ）
２才からヴァイオリンを学び、４才で渡米。９才でフィラデルフィア管弦楽団の学生コンクールに優勝し、同楽団と初共演。16才でニューヨーク・リサイタルデビューしニューヨークタイムズで絶賛されたほか、ヨーロッパの有力紙上で悪魔的技術と芳醇な音色、高い音楽性を認められる。日本を代表する作曲家、西村朗氏に才能を認められ新作初演、全集録音を行う。鷲見四郎、ドロシー・ディレイ、川崎雅夫、ジェラール・プーレ各氏に師事。日本音楽財団よりストラディヴァリウス長期貸与を受ける。2005年3月「第15回出光音楽賞受賞」、07年ワシントン賞受賞。録音は「イザイ　ソナタ集」05年、「プレリューズ」06年、「グリーグ　ソナタ集」07年末（以上ナミレコード）、「西村朗　無伴奏作品集」08年初（カメラータ・トウキョウ）発売予定。
http://www.shunsukesato.com

感覚

注視の訓練

24ページで紹介している「注視」の訓練のバリエーションが、このページで紹介しているおもちゃなどを使った方法です。家にある赤系のものを使って工夫してみてください。

身の回りの音を聞いたり、いろいろなものにふれる

この時期の赤ちゃんは全身がアンテナのようなもの。周囲から聞こえてくるさまざまな音の情報を取り入れることで、脳の神経細胞はどんどん回路を増やしているのです。いつも静かな部屋に寝かせておくのではなく、いろいろな音を聞かせたり、いろいろなものにふれさせてあげましょう。

最初は赤ちゃんもびっくりして「びくっ」とするかもしれません。でも昨日びっくりした音を今日は少し弱くして聞かせてあげるとそれほど驚かなくなるものです。

また感覚野の中でも、この時期に回路が完成するのが皮膚からの情報を受ける皮膚感覚野です。この皮膚感覚野を発達させてあげるためにも、人間の顔、おもちゃ、タオル、あたたかいもの、冷たいものなど、さまざまな感触のものに触れさせてあげましょう。

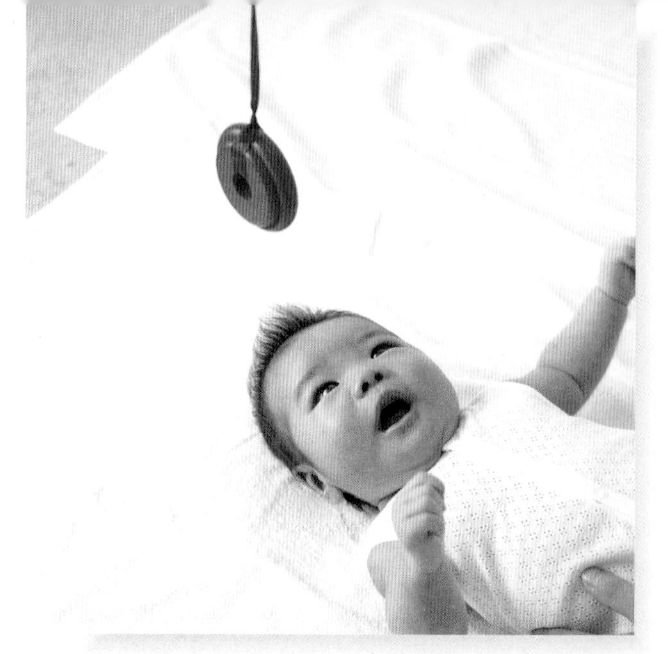

赤ちゃんは三原色、なかでも赤い色がよく見えます。つり輪など赤いおもちゃを赤ちゃんが見えるところにつるし、上下左右に少し動かして目で追わせます。

Advice

つり輪のかわりに、赤やピンクなどの風船を使って、上下左右に動かしてみせてもいいでしょう。

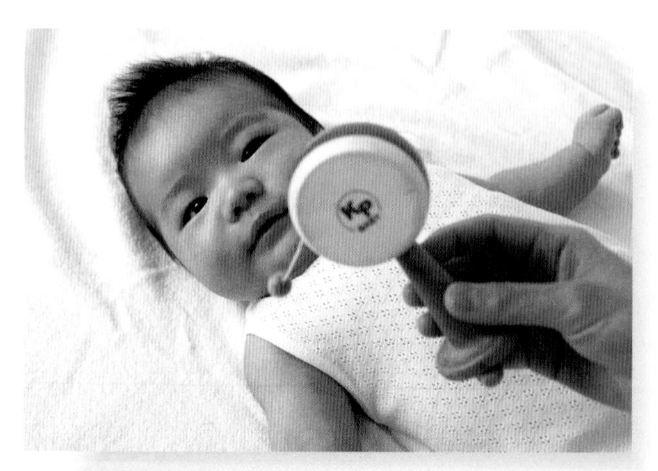

でんでん太鼓など、音の出るおもちゃをまず赤ちゃんの目の前30～40cmのところで鳴らしてみせ、次にゆっくり動かして目で追わせます。

Caution

必ず大人が声をかけながら！

Point

話しかけても赤ちゃんの視線が動かない場合には、鼻のつけ根を上から下へとさすって目を閉じさせて、それから再度始めてみましょう。

社会性

たくさん言葉かけをしてあげましょう

おむつがえや授乳のとき、お風呂のときなど、お母さんはできるだけ赤ちゃんにたくさん言葉をかけてあげましょう。特に「おむつをかえて気持ちよくなったね」「おっぱいおいしいね」といった気分のいいことをあらわす言葉は何度も繰り返してあげましょう。

もちろん、赤ちゃんは言葉の意味は理解できていません。が、そのときのお母さんの声の調子や表情で、それがどんな意味を持っているか、ちゃんと神経回路は理解をしているので、しだいに赤ちゃんの表情も豊かになってきます。

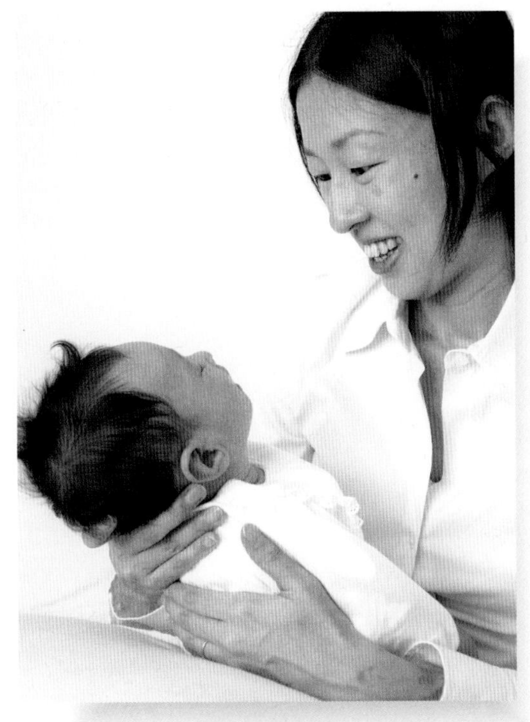

抱き上げるときは言葉かけの絶好の機会です。赤ちゃんだからまだ言葉がわからない、と思って黙っていないで、視線を合わせながら、積極的に話しかけてあげましょう。

赤ちゃんに声をかけながら顔を近づけてにっこり笑ってみましょう。こうすれば赤ちゃんもつられてほほえみ返してくるようになります。

Caution
何かするときには「これからおっぱいですよ」というふうに声をかけることが、赤ちゃんへのサインに！

Advice
赤ちゃんに話しかけるときには赤ちゃん言葉を使わずに、「ジドウシャ」「イヌ」「オフロ」など、正しくはっきり発音するといいでしょう。

Point
気持ちのいい言葉は何度も繰り返して言葉かけをするようにしましょう。

カリキュラム

1ヵ月半～3ヵ月半ごろ

首すわり期

脳の神経細胞がさかんに発達して積極的な探究心が芽生えてくる時期。

この時期のポイント

新しい刺激で、
好奇心を満たす。

*

繰り返し刺激を与え、
反応したらほめてあげる。

*

腹ばいで、筋肉の緊張と
弛緩を教える。

赤ちゃんの意思や心が発達してきて、脳の神経細胞が発達するスピードも加速度を増してきます。もう反射期のような弱々しさはなく、周りを見回し、音に反応し、手で物をつかもうとする積極的な探求心も出てきます。

手で物をつかもうとすることはとても大事なことですが、そのときの脳の働きは次のようになっています。

まず、目で対象物を見た情報が視覚野に送られ、次にその情報が頭頂連合野に伝わり、ここで対象物の位置を把握します。そして、こんどはそれが手の運動連合野に伝わります。この手の運動連合野は、物を握るときにも離すときにも働くところですが、運動の順序を決めて、それを運動野に伝える働きをします。こうして、その指示が最後に運動野に伝わって、手が伸びていくのです。この一連の動きは、手の「視覚接近運動」といって、手の動きの基礎となります。

ですから、赤ちゃんが興味を持ったものに手を伸ばすことは、とても意味のあることなのです。赤ちゃんが自分から手を出してさわってみたくなるように、おもちゃを見せてじょうずに誘ってみてください。

音にも反応し、音の出たほうに顔を向けて確かめようとします。お母さんが声をかけて近づいていくと、顔と声で、お母さんが来たことを理解します。このように、多種の感覚を連合することができるようになります。

手

素材、形の違う いろいろなものを さわらせる

手は物事を知るためにとても重要な役割をする情報収集器です。赤ちゃんは目で見て、手でふれてそこで得た情報を脳に送ります。そして脳はその情報をもとにそれがどんなもので次にどんな行動を起こすか判断します。こうした経験を積みながら赤ちゃんは外の世界の知識を増やしていくのです。

ですから、脳にできるだけたくさんの情報を送って脳を活発に働かせるためにも、赤ちゃんにはさまざまな手ざわりのものを手にふれさせてあげるのがいいのです。

木綿の布、ニット、毛糸の玉、タオル、リボン、ボタン、いらないカギ、中身の違うお手玉、ゴムやタオルでできた大小のボール、スポンジ、サインペンなど、身近にあるいろいろな生活用品やおもちゃなどをさわらせたり、握らせたりします。

Advice

持ちにくそうなときはきちんと持たせて、その上からお母さんが手を添えてあげましょう。

Caution

※赤ちゃんが握れるようジャストサイズのものを！

※左右両方の手を使わせてあげて。

※ボタンなどは誤飲の恐れがあるので布に縫いつけて持たせてあげて。

Point

スポンジなどもベッドの柵にくくりつけてみましょう。

手

自分からおもちゃに手を伸ばす

自分の意思どおりに手を動かせるようになるための第一歩はまず手を前に出すことです。赤ちゃんの興味をひくおもちゃを使って、その動きを誘いだしてみましょう。

この動きは、実は単に手だけの運動ではなく、目でおもちゃをとらえそれに関心を持ったから手が出る、という高度な動きなのです。

だっこをしたり、あおむけや腹ばいに寝かせた赤ちゃんの目の前に、はっきりした色のおもちゃや、毛糸の玉、つり輪、つりおもちゃなど赤ちゃんの興味をひくものをぶら下げて、赤ちゃんがそれに手を伸ばすように仕向けます。

Point
最初にまずおもちゃをよく見せておくといいでしょう。

Advice
赤ちゃんが関心を示さないときは音の出るおもちゃがおすすめです。

左右の手を同じように使わせる

赤ちゃんにもよく動く手とそうでない手があります。が、それをきき手と考えるのはまだ早すぎます。この時期はまだきき手は決まっていませんから、どちらの手も同じようにうまく使えるようにしてください。

両手を協調して上手に使うことで、バランスよく脳が発達します。

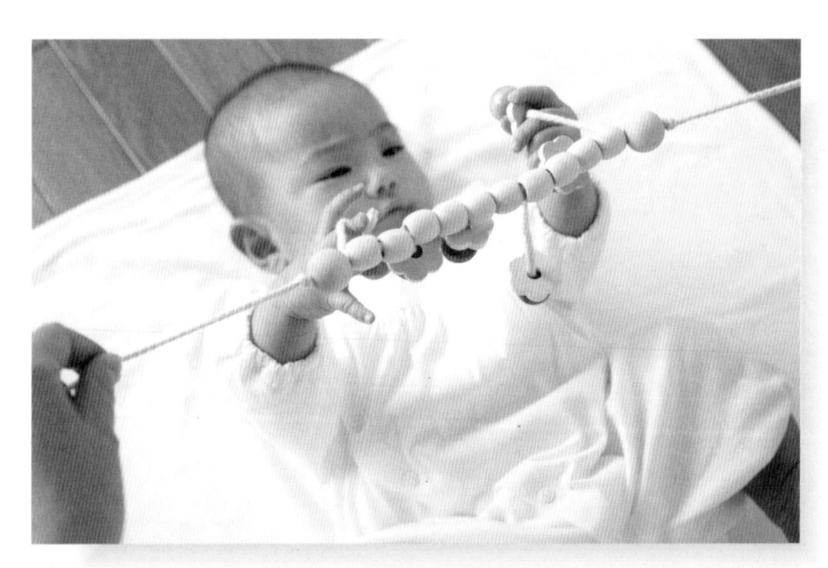

赤ちゃんの正面におもちゃをさし出し、左右どちらの手を出してもいいようにします。右ききのお母さんは、赤ちゃんの左手のほうにばかり持っていかないように注意してください。また、棒やぬいぐるみなどで、両手を同時に使って持つ練習もしましょう。

運動

腹ばいから体をそらせる

このころの赤ちゃんはだいぶ首もしっかりしてきて、腹筋や背筋も発達してきますから、腹ばいにして、グッと背をそらせる練習をしてみましょう。この時期の腹ばいは、はいはいの基礎にもなるものです。

腹ばいにして、声をかけながら丸まった背中をさすります。ひざを曲げ、足くびを持ち上げているときは、その足をゆっくり床に下ろして軽く持ってあげると、背のそりはもっと強くなります。こうして筋肉の緊張と弛緩を教えます。

Point

手を前に出し、鉄棒の懸垂のポーズになるのが正しい姿勢です。

毛布ブランコで平衡感覚を養う

赤ちゃんは頭の位置が変わるとそれに応じて反射的に姿勢を変えます。これが迷路反射ですが、毛布ブランコは、その迷路反射を発達させるのが目的です。と同時にゆらゆら体が揺れる快感も覚えることができます。この後、発達に応じて何度か出てくる「たかい、たかい」も目的はこの毛布ブランコと同じです。

毛布やシーツなどに赤ちゃんを寝かせて、両端を2人の大人が持って持ち上げ、ゆらゆら揺さぶって遊びます。外からの動きに対して、赤ちゃんは自分で頭の位置を変えて姿勢を保とうとしますが、このことが、赤ちゃんの平衡感覚を育てます。

Caution

※必ず首がすわってから！

※赤ちゃんと目を合わせながら！

※赤ちゃんがよそ見をしていたり、ぼーっとしているときにはやらないこと！

Advice

大人が１人しかいないときには、抱っこして歌に合わせて揺らしてあげてもいいでしょう。

運動

お母さんの
ひざの上でおすわり

首がしっかりしてきて、物を見るときに顔を左右に動かすことができ、目の前のおもちゃにも手を伸ばせるようになったら、いつでもおすわりのための練習ができます。
これは背すじをまっすぐ伸ばして頭を支えることができるようになるための働きかけでもあります。早くおすわりができるようになると、続けて遊ぶ時間も長くなり、集中力もついてきます。

背すじがグニャッと曲がって、まだまっすぐにならない最初のうちは、お母さんのひざの上にすわらせて、お母さんが背中を支えてあげましょう。さらにもう1人の大人がガラガラなどの音の出るおもちゃを振って、それを目で追わせたり、手で持たせたりして遊ばせます。
Caution
赤ちゃんのおなかを持たずに、わきの下や胸骨を手で支えてあげて！

ひざの上で
たっちの練習

おすわりの練習と同時にぜひ取り組んで欲しいのがたっちの練習です。

前向きに抱いて、お母さんのひざの上で立たせます。じょうずに立てるようになったら、支える手を胸から太もも、ひざへとだんだん下げていきましょう。

感覚

追視の幅を広げる

赤ちゃんは動くものに興味を示します。この追視は0〜1ヵ月半のときにもやりましたが、この時期になると首を左右に動かしてもっと広い範囲のものを目で追えるようになるので、追視の幅も広がります。

この働きかけは、視野を広げると同時に頭を動かすので、首すわりを早くする意味合いもあります。

片手で赤ちゃんをだっこして、目の前で風船を見せておいてから、もう一方の手でついて、それを目で追わせましょう。（上下の追視）

まず赤ちゃんの顔の真上でつり輪を見せて注意をひいておきます。それを右から左、左から右へと動かし、赤ちゃんが顔を動かして目で追えるようにします。（左右の追視）

Point

この時期の赤ちゃんは軽い斜視の傾向があることが多いもの。それを治すためにも、目が向くのと逆の位置におもちゃを持っていく回数を多くしてあげましょう。

感覚

いろいろなものをなめる

この時期の赤ちゃんは、手に持ったものなら何でも口に入れてしまいます。これは手の次に、よく発達した感覚器である舌や唇を使ってそれがいったい何であるのか確かめているからです。

危険のないように注意しながら、指やおもちゃなどを大いになめさせてあげましょう。こうすることで脳の感覚野が発達していきます。

身の回りのいろいろなものをなめさせましょう。赤ちゃんにとっては指もそのひとつです。よく洗って清潔にし、飲み込む危険のある小さなものは持たせないようにしましょう。

音への興味を持たせる

いろいろな音を聞かせて、赤ちゃんに身の回りにはさまざまな音があることを教えてあげましょう。繰り返しいろいろな音を聞かせることは、聴覚の神経細胞同士のつながりを強めます。

また、音やリズムは体を動かすことにも深く関係してきますから、おもちゃの音だけではなく、お母さんが子守歌を歌ってあげたり、ＣＤなどを聞かせてあげましょう。

お母さんの声、音の出るモビールやオルゴール、ＣＤ、鈴、電話のベルなどいろいろな音を聞かせて、どこから音が出ているのかをわからせます。実際にさわらせて遊ばせてもいいでしょう。こうして身の回りにあふれている音の中から、聞きとれる音の種類を増やしていきます。

Advice
赤ちゃんがはじめて聞く音にびっくりしているときやこわがっているときは、やさしく手を握り、耳元でお母さんの声を聞かせてあげましょう。

社会性

くすぐったり、あやしたり、まねをさせたりしてお母さんと遊ぶ

赤ちゃんの積極的な反応を引き出すためにも、遊びを工夫して新しい刺激を与えてあげることはとても大事です。そして赤ちゃんが喜んで声をあげることは、発語を促すことにもつながります。

また、遊びを通してお母さんとかかわりを持つことは、コミュニケーションの芽を育てていくことにもなるのです。

1ヵ月半～3ヵ月半ごろ

ひざの上に抱いて声をかけながら、体を揺すったり、わきの下をコチョコチョくすぐったり、おもちゃを見せてあやしたりして、赤ちゃんが自分から声を出すのを促します。

Advice
おふろ上がりで裸のときにやってもいいでしょう。

赤ちゃんをあやすのならお父さんだって得意なはず。「たかい、たかい」などをするときに、ほほえみかけながら「ウ、ウ」などと声を出してみましょう。繰り返しやるうちに、赤ちゃんも「ウ、ウ」と声を出すようになります。まねをすることで新しいことを覚えていくのです。

知能

「いない、いない、ばあ」

この遊びは昔からある遊びですが、単に赤ちゃんをあやすだけではなく、赤ちゃんの知的な発達を促す遊びとしても重要な意味を持っています。

「いない、いない」と赤ちゃんにガーゼなどをかぶせていると、赤ちゃんはそれをとってくれるのを待つようになりますが、これこそがワーキングメモリーなのです。これは脳の中でも前頭連合野を鍛えるトレーニングになります。

発達に合わせていろいろなバリエーションがあります。慣れてきたらしだいに「いない、いない」と待たせる時間を長くしていきます。待てるようになったら、時間を短くしたり長くしたりして変化をつけてみましょう。

Advice
最初は赤ちゃんがこわがらないように、透けるスカーフやガーゼのハンカチなどを使うといいでしょう。

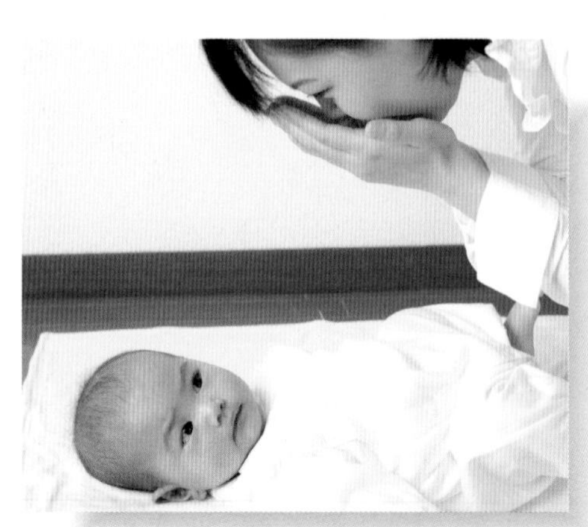

このようにお母さんが自分の顔を隠す「いない、いない、ばあ」もあります。タオルではなく、両手で顔を隠してもいいでしょう。「ばあ」で顔を出すときも、タオルの上、下、右、左といろいろなところから顔をのぞかせるなど、工夫してみましょう。

Caution
※最初は赤ちゃんがこわがって泣くことも。そんなときにはすぐに赤ちゃんをだっこしてあげて。
※泣いたらまた日をあらためて。無理は禁物！

Point
「ばあ！」で顔を出すときには、にっこり笑顔で。

鏡を見せる

発達の段階によって鏡は見せる意味が違ってきます。

この時期は、まだ鏡を見てそこに映っているのが自分だとは理解していません。しかし、何度も繰り返して見せているうちに、それが自分だということがわかるようになり、自分と他人とを区別できるようになってきます。これが自我の始まりとなります。

鏡の前に赤ちゃんを連れていき、前に集中させて、そこに映った自分の姿をよく見せます。

Advice

慣れてきたら、ほかの赤ちゃんといっしょに並んだところも映してみて、自分と他人を区別できるようにしていくといいでしょう。

久保田メソードで育った赤ちゃんたちは今

この3年間は、好きなテニスとかけがえのない友達、そして多くのことを指導してくださった先生に出会え、とても忙しいながらも楽しい毎日を過ごしています。

僕の通っている高校には卒業研究があります。今、締め切りまじかのため、テーマの「ガン・終末期医療」の「緩和ケア」の論文まとめに挑んでいます。

ガンであった亡き祖父と、わたしたち家族が心穏やかに最期を迎えることができた、「緩和ケア」という痛みを取り除く治療に興味を持ったからです。

そこで将来は、人間の命にかかわる職業につくか、人間が暮らすよりよい環境を作っていくという、どちらかの道にすすみたいと思っています。

岩井健太郎くん
東京大学教育学部附属
中等教育学校6年
（高校3年）

カリキュラム

3ヵ月半～5ヵ月半ごろ

おすわり期

好奇心、探究心がますますさかんになる時期。指先や、予測能力を伸ばす練習を。

この時期のポイント

同時に
いろいろな感覚を磨く。

＊

リズム感覚を養う。

＊

四つんばいの練習で、
おすわりやはいはいの準備。

好奇心、探究心がますますさかんになって、絶えずキョロキョロあたりを見回し、目についたものをさわったり、口に入れて自分で確かめようとします。できるだけお母さんが相手をして、旺盛な好奇心を伸ばしてあげましょう。

手で物をつかんだり離したりできるようになったら、こんどは引っぱることも練習します。こうして少しずつ高度な手の動きを覚えていきます。

4～5ヵ月ごろになったら、そろそろリズム感を養う働きかけも始めましょう。リズム感は、歌を歌ったり楽器を演奏するときはもちろんのこと、体を動かすときの基礎にもなりますから、しっかり身につけておきたいものです。

また、リズム感は言葉をしゃべるときにも役立ちます。しゃべるときは、頭を働かせて、一定の間隔でリズムを持って言葉を口に出しますが、その基礎づくりは、このころすでに始まっているのです。

体の面では、繰り返し腹ばいを練習して、早くはいはいができるように手助けしてあげてください。ひじを曲げたまま前進したり、おしりで進んだりする“個性的な”はいはいの赤ちゃんを見かけますが、おかしなはいはいは筋肉のつき方や、体を動かす順序もまちがったまま脳に記憶されてしまいます。

手や足の力を均等に発達させるためにも、お母さんがじょうずに導いて、きれいな（正しい）はいはいを身につけさせてください。

手

引っぱる

赤ちゃんがおもちゃに関心を示すようになって、自分から手を出すようになったら、こんどはそれを引っぱって遊ぶように促してみましょう。

おもちゃの存在を認識し、その位置を把握してそれをつかみ、さらに引っぱるという一連の動きには、赤ちゃんの視覚野、頭頂連合野、前頭連合野、運動野を鍛えます。

あおむけ、おすわり、腹ばいになった赤ちゃんの目の前に、毛糸の玉やつり輪、つりおもちゃなどをぶら下げ、赤ちゃんに引っぱらせて遊ばせます。

Point
関心のないときは、おもちゃに鈴などをつけて音で誘います。

Advice
おもちゃは弱い力でも引っぱれるよう、ゴムでつるすといいでしょう。

運動

はいはいの練習

うつぶせから
四つんばいにして
はいはいを促す

うつぶせがじょうずにできるようになったら、こんどははいはいの練習をしてみましょう。これは、お母さんが手助けをしてあげると、格段に上達するものです。

前進するためには、手足を交互に動かすことを覚えなくてはなりませんが、これには「立ち直り反射」を利用します。これはまず、赤ちゃんをうつぶせにして床から浮かせておいて、どちらかの手や足を床につけたときに、その刺激によって先に床についた手足が動き、その後に反対の手足も動くというものです。

この反射で手足を交互に出すことと、足の指先を床につけることを練習して、しだいにはいはいができるようにしていきましょう。

はいはいの練習
体を床にべったりとつけていた、これまでのうつぶせ姿勢から、両ひじと両足で体を支える四つんばい姿勢がとれるように練習します。最初はお母さんがおなかの下に手を入れて、少し持ち上げてあげましょう。すると、赤ちゃんは両手で体を支えるようになります。手のひらと足の指先が正しく床につくようにしましょう。

手をじょうずに前に出す
首を上げ、胸を張って、手で体を支える姿勢はできるようになっても、手を交互に前に出さなければ前に進むことはできません。そういうときは、お母さんが赤ちゃんの手を持って、正しく前に出してあげましょう。

Advice
なかなか手が前に出ない赤ちゃんは、お母さんのひざでおすわりをさせて、手を出す遊びをたくさんさせてあげるといいでしょう。

おもちゃで、はいはいを誘う
赤ちゃんをうつぶせにし、手を伸ばせば届きそうな、でも届かない位置に赤ちゃんの興味をひきつけるようなおもちゃをおいて、はいはいを促します。はじめは、赤ちゃんは手足をバタバタさせるだけでなかなか前に進むことはできないので、そんなときは下のように足けりの練習をさせます。

Advice

少しずつ前に進めるようになったら、おもちゃをだんだん離して、はいはいの距離を長くしていきましょう。

足のけりを強くする
手足を交互に前に出すことと同時に、もう一つ、はいはいの大事なポイントは、足の指先を床につけて、けることです。それができない赤ちゃんには、足への働きかけをします。お母さんの手のひらを赤ちゃんの足の裏に当てて少し押し戻すようにします。すると、赤ちゃんはその力を利用して、足をけることを覚えていきます。

Caution

※けりを促すときには「イチ、ニ、イチ、ニ」と声をかけながら！
※「イチ」のときは右足、「ニ」のときには左足、というふうに、かける声と促す足は常に同じで！

運動

平衡感覚を鍛える

人間の平衡感覚をつかさどる三半規管と耳石器を働かせて迷路機能を鍛えます。

三半規管は頭が回転するときに刺激されます。耳石器は、頭が前後、左右、上下直進すると刺激されます。どちらも加速度が刺激になります。

これまでも毛布ブランコ（31ページ）などでやってきましたが、この月齢では、さらに次の段階として高度な動きを練習します。

ひざの上でのたかい、たかい
あおむけに寝たお母さんの、曲げた足の上に赤ちゃんをのせて、「たかい、たかい」と体を持ち上げます。赤ちゃんの体は水平に、頭は持ち上げるような姿勢にしましょう。また、立って「たかい、たかい」と上に上げ、赤ちゃんと視線を合わせてやります。

ふつうのたかい、たかい
今までのたかい、たかいもさらに高い場所でやってみましょう。

Caution
最近“ゆさぶり症候群”が増えています。これは、赤ちゃんの頭を強くゆさぶることで起こり、日ごろから運動していないことも原因の一つと考えられます。このページの運動をするときは、急に強く揺すらない、嫌がるようなら中止しましょう。

平衡ブランコ
両手で赤ちゃんの太もものあたりを持ち、リズムに合わせて前後にユラユラさせて、赤ちゃんがうまく自分の体の平衡を保てるよう練習します。

久保田メソードで育った赤ちゃんたちは今

開成中学1年　S・Kくん

息子が、久保田メソード能力開発教室に通ったのは、4ヵ月から2才まででした。はじめは、ストロー落としやプラステンをやる意味がわからなかったようで興味を示しませんでしたが、ある日突然夢中でやりだしました。子どもって、無理にやらせるのではなく、時期を待つことが大事なんだなあと実感しました。教室がよかったのは、先生がいろいろアドバイスしてくださったことです。「うちの子左ききかな？」と思ったとき、「両手を使って遊ばせればいいですよ」と言ってくださったので、納得しました。この教室で培ったことと言えば、集中力はすごいですね。あと、応用力、手先の器用さもあげられます。

いまは、中学生活を満喫しています。本人は「学校も友だちも楽しい」と言っています。朝から晩まで、日曜日もバスケット部で活動しています。中高6年制の男子校ですが、高校の先輩も何かと面倒をみてくれるようです。

私は、子どもは小さいころの育て方が大事と思っています。赤ちゃん時代は、結果が見えないので不安になりがちですが、小さい頃に地にしっかりした根をはやしておけば、あとは実りが待っています。赤ちゃんの伸びる力を信じるということでしょうか。（母　貴代美さん）

運動

支え寝返りの練習

この月齢になったら、迷路反射を利用した働きかけで、赤ちゃんが頭の位置を変えるのに応じて、じょうずに姿勢を変えられるよう練習していきます。これによって早く寝返りもできるようになります。

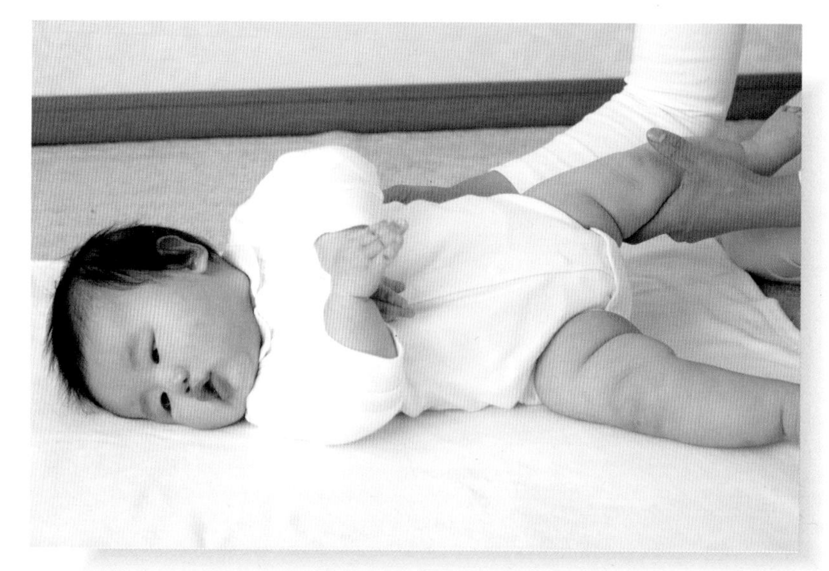

右側への寝返りは、右腕と体を90度になるように開き、左足をおなかにつけるようにしながら寝返りさせます。同じように左側も行っていきます。

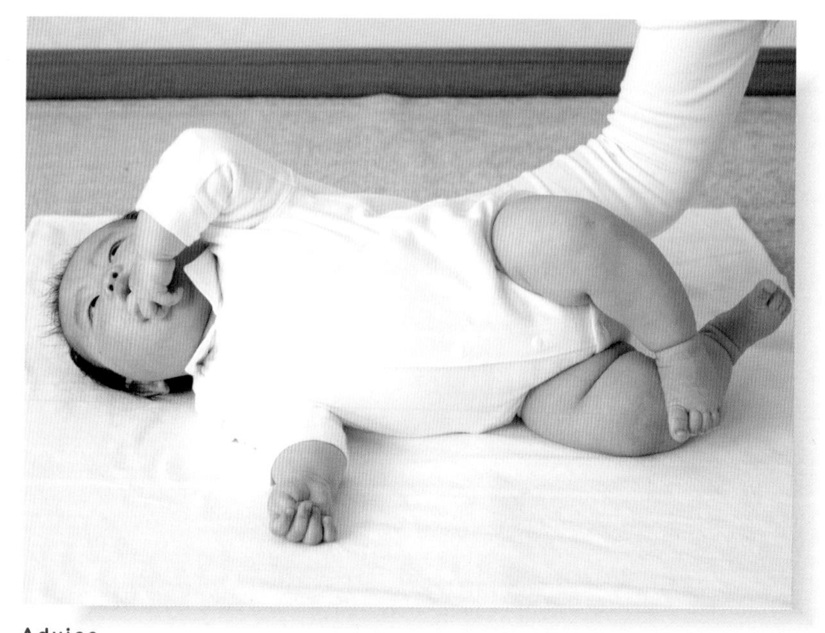

Advice
まだ自分でできないときは、赤ちゃんの背中を指先で軽くトントンとたたいて介助します。

Point
赤ちゃんが自分でやったような気になるよう、じょうずに練習させてみましょう。

おむつ体操②

おむつ体操①で、お母さんが手足をさするのにあわせて赤ちゃんが手足を伸ばすようになったら、今度は第二段階のこのおむつ体操②に挑戦してみましょう。

今度は一歩進んでお母さんが声をかけることによって赤ちゃんの動きを誘います。「イチ、ニ」「右、左」などとかけ声を決めて行えば、やがて赤ちゃんはその声をかけただけで手足を動かすようになるでしょう。おむつ体操の目的は、赤ちゃんが自分の意思で、自分の体を動かすことができるようになることです。

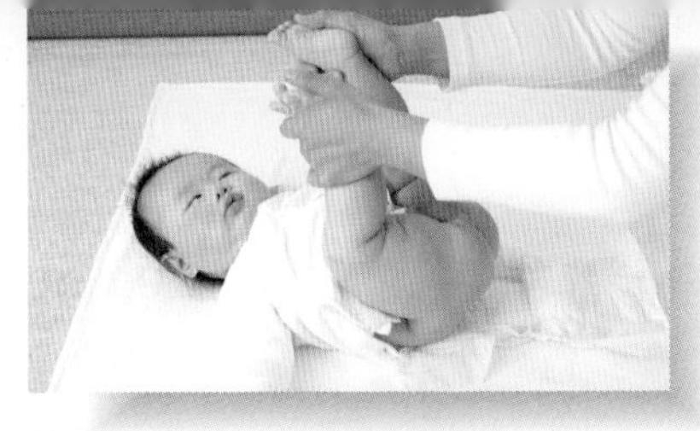

❶最初は赤ちゃんの両足を顔の前にくるまで深く曲げて、「これは足ね。ほら○○ちゃんの足ですよ」などと言って、赤ちゃんに自分の足が見えるようにしましょう。これはおむつ体操③へのステップともなります。

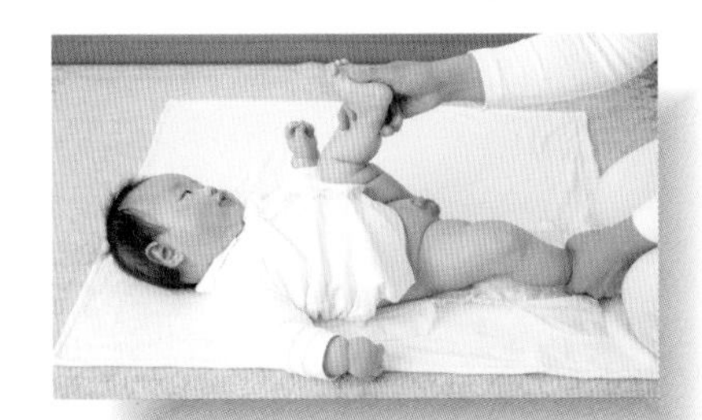

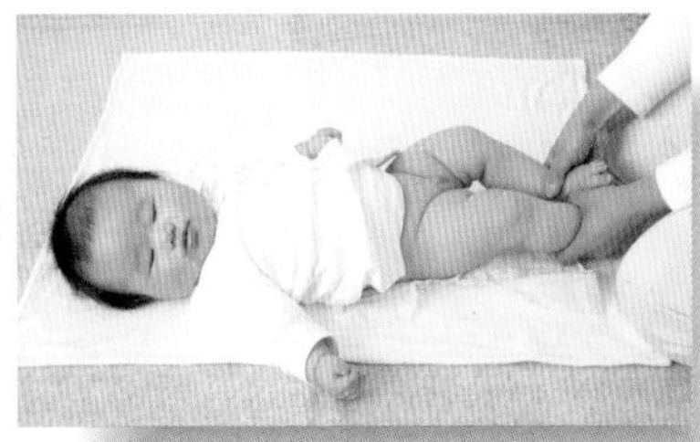

❷次に足と足裏に手を添え、片方の足を持ち上げて曲げます。その手を離し、赤ちゃんが自分で足を伸ばすように手助けして、今度は足を引っぱってやります。このとき、「イチ、ニ」など同じ動作に対して同じかけ声をかけることがたいせつです。

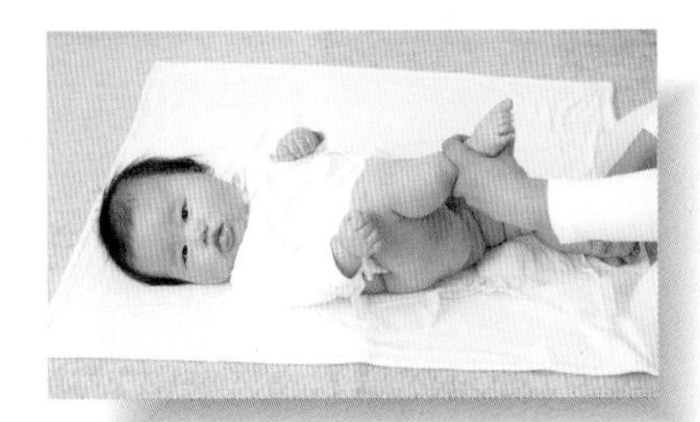

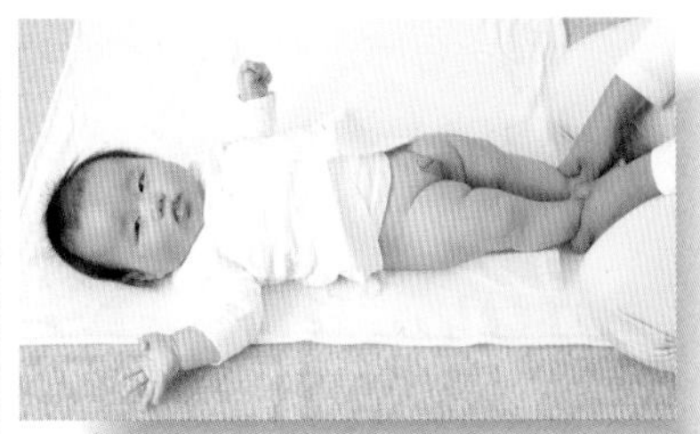

❸同じように反対の足も、お母さんが持って曲げ伸ばしをします。足を曲げるのはお母さん、伸ばすのは赤ちゃんで、二人の呼吸を合わせてリズミカルに「イチ、ニ」と行えば、やがて曲げた状態で手を離しても、号令に合わせて赤ちゃんが足を伸ばすようになります。

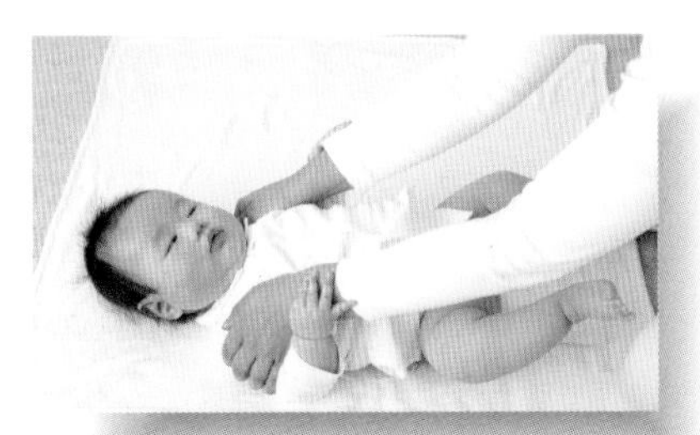

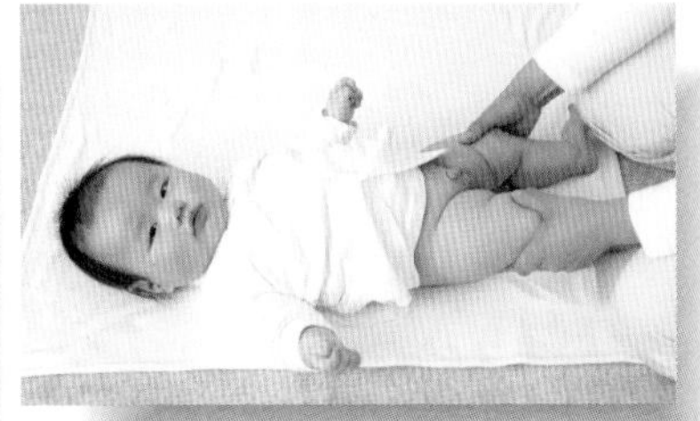

❹最後は、おむつ体操①でもおこなったように、「きもちよかったねえ」と声をかけながら、ゆっくり肩から腰、つま先までさすりおろしていきます。少しおしつけるように、力を調節しながらさすりおろしてください。これはおむつ体操のあと必ずおこないます。

Coution

※曲げるときにはやや力を入れて、伸ばすのはできるだけ赤ちゃんにやらせるようにして！

※足を引っ張るときには一気に引っ張らないこと！

感覚

いろいろなものをなめる

この時期は、手に何かを持つとすぐに口に入れてしまいます。これは唇や舌の感覚を総動員して手の中のものを確認しているのです。

はいはいが始まる時期でもあるので目が離せませんが、危険なもの以外はどんどんなめさせてあげましょう。

いろいろな素材のもの、形の異なるもの、生活用品やおもちゃ、冷たいもの、あたたかいものなど、赤ちゃんが興味を示すものを、どんどんなめさせてみましょう。

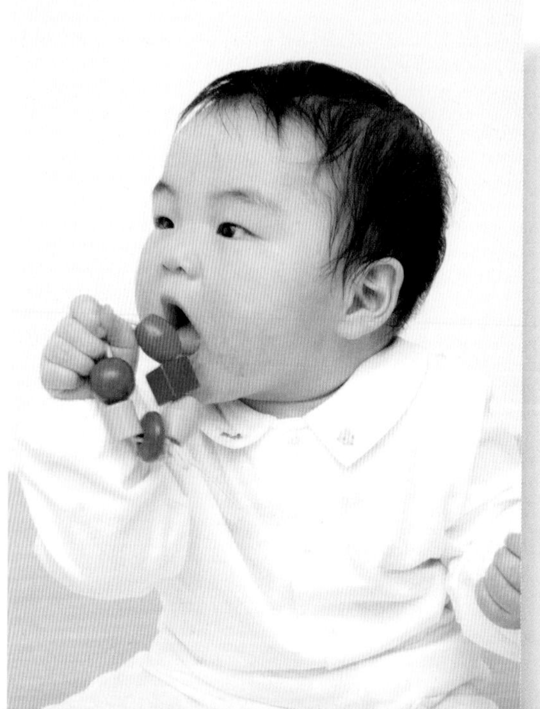

飲み込んでしまう危険のある木のビーズやボタンなどは、写真のように糸でつなぐなどしてから持たせ、赤ちゃんから目を離さないように気をつけましょう。

Advice

ラップの芯を切るなど、身近にあるものをいろいろ工夫して、赤ちゃんがなめるのにちょうどよい安全なおもちゃをお母さんが手作りしてもいいでしょう。

コップから飲む

この時期は少しずつ離乳食がスタートする月齢です。液体以外にもいろいろなものの味を知るようになり、スプーンでも食べられるようになります。

その次にマスターしたいのがコップから飲むこと。5ヵ月くらいから練習を始めましょう。

水や麦茶などをコップに入れて、最初にお母さんが飲むところを見せてから、赤ちゃんに飲ませます。おふろ上がりなど、のどが渇いたときに練習すれば上達も早いでしょう。

Caution

むせないように気をつけて！

リズムに合わせて体を動かす

リズムを感じるだけではなく、それに合わせて体を自分で動かせるようにしていきます。

赤ちゃんの感覚を磨くのに大事なことは、同時にいくつもの感覚を使って効率よく発達させることです。脳の回路は複雑で、同時にいくつもの回路を使うことが可能なので、一つだけしか使わないのはもったいないといえるでしょう。

まずは、ノリのいいリズムの曲に合わせて、お母さんが赤ちゃんの体を揺すってあげます。音の出るおもちゃを持たせて、「イッチ、ニー、イッチ、ニー」と強弱、長短のリズムをつけながら振らせてみてもいいでしょう。このときはお母さんが赤ちゃんの手を持ってあげてください。

Advice

五感をフルに使うためには、音楽を聞きながら、体全体を動かして、手ではおもちゃを振る、というふうに同時にいくつものことをさせるようにしましょう。これが、ワーキングメモリーと入れ子の課題です。（14ページ参照）

社会性

声をかけて発語を促す

泣いたり笑ったり、赤ちゃんはすでに無意識のうちに声を出していますが、それは人間の持つ言葉とは違うものです。

しかし、お母さんが日常的に声をかけていれば、赤ちゃんはしだいに意識をして声を出すようになります。これが発語の第一歩です。つまり、赤ちゃんの言葉はお母さんとのコミュニケーションから生まれるのです。

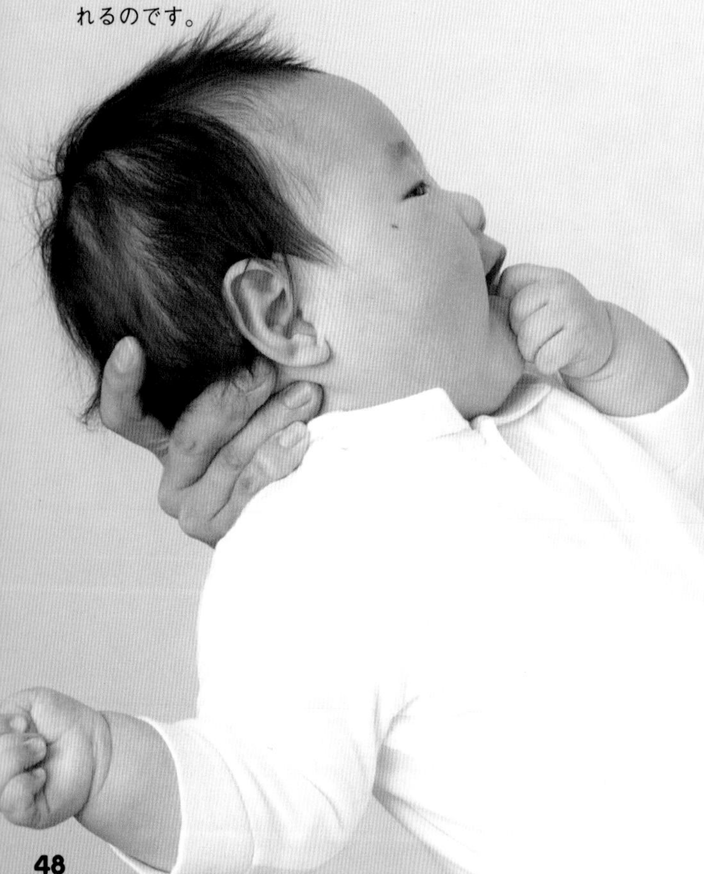

赤ちゃんと顔を合わせ、じっと見つめられたら「ウ、ウ」と声をかけ、反応を誘います。さらに、赤ちゃんにお母さんの口元をよく見せて、大きな口をあけて、ふつうの高さで「アー」、唇を突き出して、低い声で「オー」、中指で唇をたたきながら高い声で「イー」と声を出します。赤ちゃんがまねをして自分から声を出すようになったら、お母さんもそれをまねします。こうしてお互いにまねし合いながら、積極的に声を出すことを学びます。

Advice

赤ちゃんは自分の出した声にびっくりすることがあります。そんなときにはしっかりだっこをしてあげましょう。

Point

この遊びは赤ちゃんの興味が続くかぎりやってあげましょう。

知能

鏡を見て遊ぶ

鏡を見る遊びは、1ヵ月くらいから1才くらいまで長く楽しむことができます。
前の月齢では、自分の姿を見せて自我を芽生えさせるのが目的でしたが、ここではお母さんと遊ぶことに主眼をおきます。

お母さんといっしょに鏡の前に立って、映す角度を変えたり、さまざまなポーズをとったりと、いろいろと遊び方に工夫をしてみてください。

お母さんといっしょの姿を鏡に映し、鏡の中の顔と実際の顔を交互にさわらせてその違いを感覚でとらえさせます。また、大きく口をあけて、「アー」「ウー」と声を出してまねさせたり、「上がり目、下がり目、くるっと回ってニャンコの目」の遊びをしてもいいでしょう。

Advice
手鏡などを使って遊んでも。

久保田メソードで育った赤ちゃんたちは今

子どもたちが久保田メソード能力開発教室に通ってよかったことは、集団の中で行動することや人の話を集中して聞くことなどが身についたことです。これは、幼稚園、小学校受験の際、すごく役に立ったと思います。また、指先を使うことをたくさんしましたが、脳を刺激することはもちろん、受験の際の積み木や創作にも大いに役立ちました。

現在の子どもたちの様子を報告しますと、息子はふだんは遊んでいますが、勉強するときの集中力はすごいです。娘は物事の判断をよく見極め、1つ1つていねいにこなすタイプ。空手2級ですが、休まずけいこを続けています。

二人とも、勉強や成績はもちろんたいせつなことですが、集団の中のルールや行動を守り、他人への思いやりがある人間に育ってほしいと願っています。（母　暁子さん）

●アドバイス　阿部田暁子さんから、久保田メソードで子育て中のお母さんへ。

1．すぐに効果を期待するのではなく、子どもの成長を長い目でみてください。
2．自宅で実践するにしろ教室に通うにしろ、休まず続けることがたいせつです。
3．ほかの子と比較しないで、自分の子のペースで見守ること。
4．お受験に役立つこと以外にも、音楽でリズムをとること、指先を使うことをたくさんしたこと、本好きになったこと、順番を守ることなど集団の行動の中で身についたよいことはたくさんありました。
5．目先の効果や、ほかの情報に混乱されず、信念を持って続けることです。

阿部田昇平くん　開智中学校3年
阿部田紗彩ちゃん　開智学園総合部5年

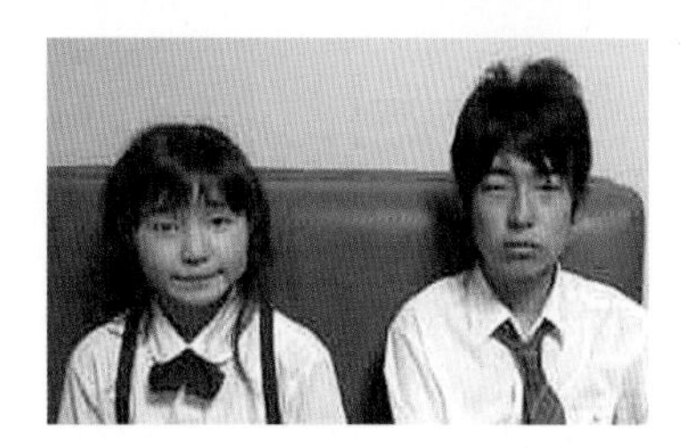

つかまり立ち期

外の世界への理解が深まる時期。集中力、思考力を養いましょう。

この時期のポイント

きれいなはいはいが
できるように、
腕や足の筋肉を鍛える。

＊

遊びを通して、
集中力と考える力を養う。

＊

平衡感覚を養う。

知的な面がグングン伸びる時期。昨日できなかったことが、今日はできるようになっていることもあります。働きかけに対してはっきり反応してくれるし、お母さんにとってもやりがいが出てくるでしょう。

目で見たり、耳で聞いたり、手でさわったりして、目覚ましく発達してきた感覚器を使って、物の本質を理解しようとする時期です。外の世界に対する理解も、今までより格段に深まります。

手に関しては、この時期は、小さなものをつまむ、はさむ、突っ込む、つつくなどの、指先を使う練習をたくさんさせてください。これは、脳の発達を促します。

赤ちゃんは、最初、小さなものに気づくと、指でつかもうとします。けれども、6〜7ヵ月ごろだとまだ指先がうまく使えません。9〜10ヵ月ごろになると、もっと指のこまかな動きができるようになり、しだいに親指と人さし指の２本の指でつかめるようになります。そして、１才ぐらいになると、それをつまみ上げることができるようになります。これは、手を器用に使うための基礎になります。

運動パターンもたくさん覚えましょう。同時に、行動範囲も広がりますから、危険から身を守ることも教えていかなければなりません。

また、遊びを通じて集中力と思考力も養いたいもの。赤ちゃんが一つの遊びに夢中になっているときは、じゃましないようにしましょう。

手

積極的に おもちゃに手を出す

まだ自由に動くことができない赤ちゃんでも、自分の周囲のものを見つけて、手にとることはできます。この好奇心を育てるためにも、赤ちゃんが興味を持つようなおもちゃで、積極的に手が出るように誘いましょう。

おもちゃを見せて手を出させるやり方はこれまでと同じです。自分の意思どおりに手が動くようになった赤ちゃんは積極的に手を出してくることでしょう。

たたいて音を出す

この動きには、①たたくという手の動作を覚えさせる、②音を聞いて聴覚刺激を与える、③リズム感を養うという3つの意味があります。最初からバチを持ってたたくのはむずかしいですから、まずは手でたたくことから始めましょう。

最初はお母さんがやってみせるのは、ミラーニューロンシステムを鍛えるために重要です。

おすわりした赤ちゃんの手を、お母さんが後ろから抱きかかえるようにして持ち、両手で太鼓をトントンとたたきます。次に、赤ちゃんにひとりでやるよう促します。

Advice

太鼓をたたくときは、簡単なリズムの音楽に合わせてたたいてもいいでしょう。

木づちなどの少し重いものを握らせ、手くびを使って打てるように練習します。太鼓のかわりになべやテーブルなど、身近にあるものをいろいろたたいてみましょう。

Caution

※背すじをちゃんと伸ばしたおすわりで！
※手は右も左も均等に使わせるようにして。

手

指先を使って小さなものをつまむ

これまでは、物をつかむというと手の平全体でつかむだけだったのが、これくらいの月齢になってくると、しだいに指先で小さなものがつまめるようになってきます。これは指先の細かい動きができるようになったということでもあります。

さらに「つまむ」「はさむ」「つつく」など指先を動かす練習することで、もっと指先を器用にしていきましょう。

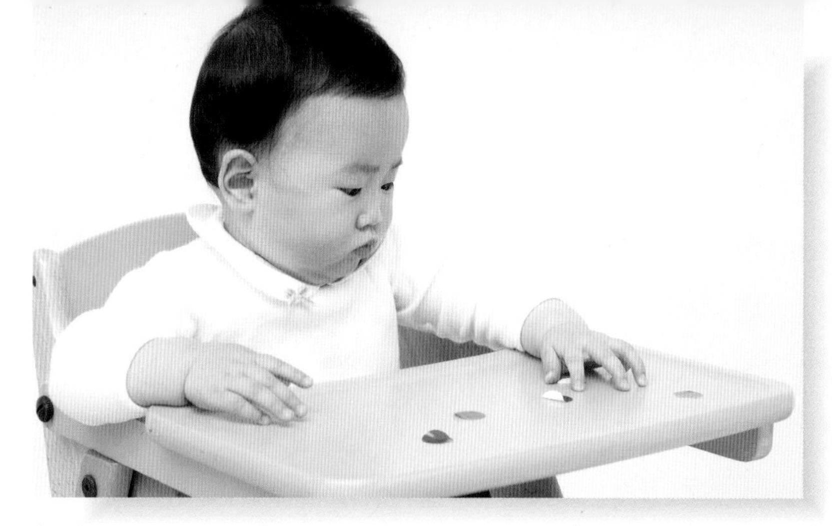

台に貼ったシールをはがす練習です。

Advice

はじめは赤ちゃんがつまみやすいように、あらかじめ端を少しはがしておくといいでしょう。

Point

赤ちゃんが前かがみにならないよう、胸の高さに台や机がくるよう調節しましょう。そうすれば長時間集中して取り組むことができます。

製氷皿など細かい仕切りのある入れ物に、小さく切ったスポンジ、ボーロなどを入れて、つまんで出させます。

Point

品数を多くして変化をつけて、何度も遊ばせるようにします。

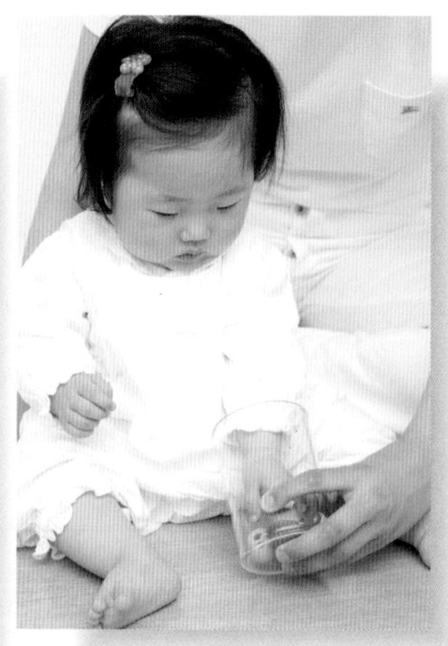

広口びんに直径2㎝ぐらいのジャンボビーズなどを入れて、それをつまんでとらせます。

Caution

小さなものを扱うときは、必ずお母さんがそばにいて、口に入れようとしたときには「ダメ！」と言ってやめさせます。お母さんが口に入れてペッと出して、赤ちゃんにまねをさせる方法もあります。

引っぱりだす

赤ちゃんは引っぱりだすのが大好き。特にティッシュなどはいつまでもやっています。そこで、ラップの芯などを利用して、いろいろなものを詰めて取り出させます。「何が出てくるか〜」と、きっと赤ちゃんは夢中になって遊ぶはずです。

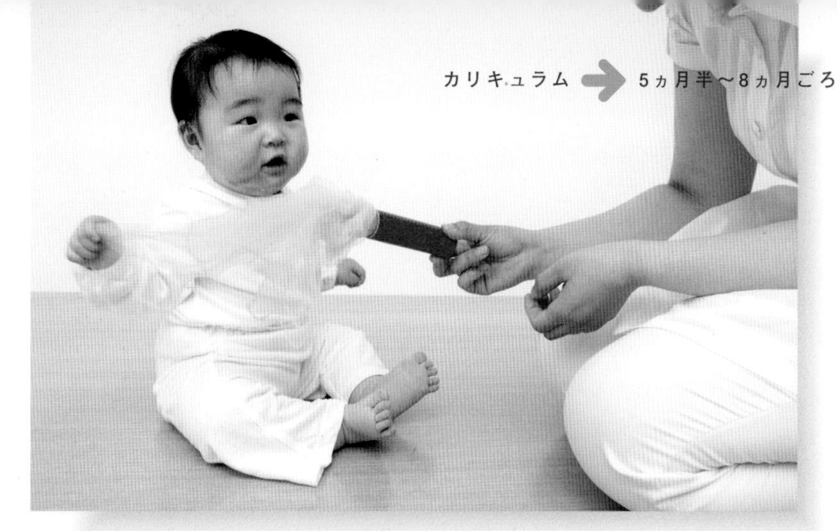

ラップの芯を20㎝ぐらいに切った筒の中に、リボンやスカーフ、ティッシュ、おもちゃなどを入れて、赤ちゃんに取り出させます。

Point
最初のうちはまだ両手を同時にうまく使えませんから、お母さんが筒をしっかり持って、引っぱりださせましょう。また、おすわりの姿勢のときは、両手を使っていると安定するものです。

Caution
赤ちゃんの体が前に傾かないようにしましょう。

両手を打ち合わせる

両手に物を持ってそれを打ち合わせることには、2つの手の力加減を調節したり、動きを協調させることのほかに、音の出し方やリズムを覚えるといった意味もあります。

赤ちゃんに何か刺激を与えるなら、この動きのようにさまざまな感覚に刺激を与えたほうが、効率よく脳の各部分を発達させることができます。

両手に積み木を持たせて、打ち合わせて音を出す練習をさせます。

身の回りにあるお椀、プラスチックのコップ、そのほか、音の出るいろいろなものを持たせて練習させてみましょう。

Caution
打ち合わせないで口に入れようとしたときには、「ダメ」ときちんと教えてあげて。

運動

おすわりの練習

首がすわったからとおすわりの練習をさせても、はじめは前かがみになったり、のけぞったりでなかなかうまくいかないもの。きれいな（正しい）おすわりとは、きちんと背すじを伸ばした姿勢です。

なぜ、正しい形のおすわりやはいはい、歩く姿勢にこだわるかといえば、正しい姿勢は体の正しい位置に筋肉がつき、正しく発達するからです。

おすわり遊びをしながら、きれいなおすわりが持続してできるように練習してみましょう。長くすわっていられるようになると視野が広がり、いろいろなものへの興味が増えます。また、持続して遊ぶことで集中力もついてきます。

机を使って姿勢を安定させる
体が倒れないように、赤ちゃんの前に胸の高さくらいの机や段ボール箱をおいて、その上におもちゃを出して遊ばせます。

両足の間におもちゃをおいておすわり遊び
広げた足の間に、胸のあたりまでくるおもちゃ（写真はペグさし）をおいて遊ばせます。これは体を起こした姿勢をとらせるのが目的です。

Advice
赤ちゃんの遊びが片手だけになると、姿勢が不安定になってバランスをくずすこともあります。常に両手を使うようにさせるといいでしょう。

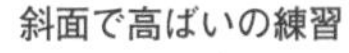

じょうずな はいはいの練習

じょうずなはいはいとは動きにむだがなく速く前に進むものです。まずはきれいな（正しい）はいはいができる練習をし、それができるようになったら次は斜面を上ったり、段差を乗り越えるはいはいにも挑戦してみましょう。

これはひざ下と腕の筋肉を鍛えることにもつながります。これらの筋肉をうまく使うことは、歩くためにも必要なことですから、ぜひやってみましょう。

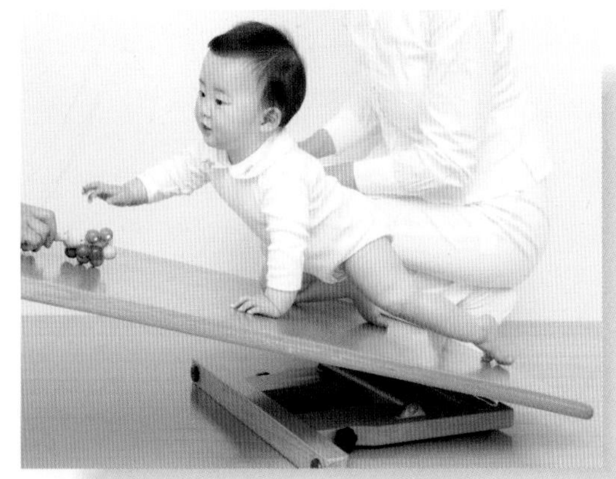

斜面で高ばいの練習
斜面を、足の親指を使ってつま先でけって、ひざをつかないで上る練習をします。最初はゆるやかな斜面から始め、次に滑り台のような急な斜面でもやってみましょう。赤ちゃんがひざをついてしまうときは、お母さんが手で足の裏を支えましょう。

Advice
赤ちゃんが上がってこないときはおもちゃを見せて誘うといいでしょう。

段差ではいはい
布団やマットレスで段差を作って、それをはいはいで乗り越えていく練習をさせます。体をしっかりと手で支えて、足を交互に持ち上げて、うまく段差を乗り越えられるように、お母さんはじょうずに導いてあげましょう。

Point
足の親指を使ってしっかりつま先でけっているかどうかが大事な点です。お母さんはそこをよく見てあげましょう。

Advice
上がることができるようになったら、下がる練習もしてみましょう。

はいはい遊び

はいはいを取り入れた遊びをすることによって、さらにはいはいを上達させてあげましょう。これは腰や手足の筋肉を鍛えることにもつながります。しかもこれらの遊びは赤ちゃんがとても喜ぶもの。親子で楽しみましょう。

トンネルくぐり
赤ちゃんは狭いところにもぐるのが大好きです。段ボールや板などで作ったトンネルの出口から名前を呼んで、はいはいでくぐらせます。

Advice
お母さんが足を開いて立ったり四つんばいになって、その下をくぐる練習もしてみましょう。赤ちゃんは大喜びすることでしょう。

運動

転んだときに手をつく練習

赤ちゃんの動きが活発になって行動範囲が広がってくると、それにともなって危険も増えてきます。最近の子どもは転び方がへただといわれていますが、転んだときにさっと手が出るように、手をつく練習もさせてあげましょう。

布団やマットレスを敷いた上に、布団などを丸めて、その上に赤ちゃんを腹ばいにしてのせ、布団を少し前に回転させます。こうして、頭が下になったとき、自然に手が床のほうへ伸びるように繰り返し練習させます。

ダイナミックな「たかい、たかい」

たかい、たかいのダイナミックバージョンです。たかい、たかいが大好きな赤ちゃんなら、思い切って体を上げてみましょう。これはお父さんにもおすすめの遊びです。

「たかい、たかい」と言いながら、グーンと高く体を持ち上げます。はじめは、お母さんと目を合わせながらやると赤ちゃんも安心するのでいいでしょう。

Caution

急激に頭をゆすぶったり、体を振り回すことはやめましょう。

足の甲にのせてあんよの練習

ひとりであんよができるようになるのはまだ先ですが、そろそろ歩くリズムを教えてあげましょう。お母さんといっしょにやることで、ひざを曲げて地面から足の裏を離すことを促します。

お母さんの足の甲に赤ちゃんをのせて、前後左右にリズムをつけながら歩きます。一日に1回くらいを目安に。

Caution

足を前に出しやすいように赤ちゃんの手を持ちますが、強く上に引っぱりあげないようにしましょう。

運動

おむつ体操③

この期のおむつ体操③では、お母さんのかけ声どおりに赤ちゃんが手足を動かせるようになることと、体を動かさないでじっと待っていることができるようになるのを覚えるのが目標です。

この２つができるようになるとお母さんもおむつがえが楽になります。赤ちゃんが歩けるようになるまで続けましょう。

Advice
じっと待つことができたら「いい子だったわね」とたくさんほめてあげましょう。

Caution
食後は30分以上たってからするようにしてください。

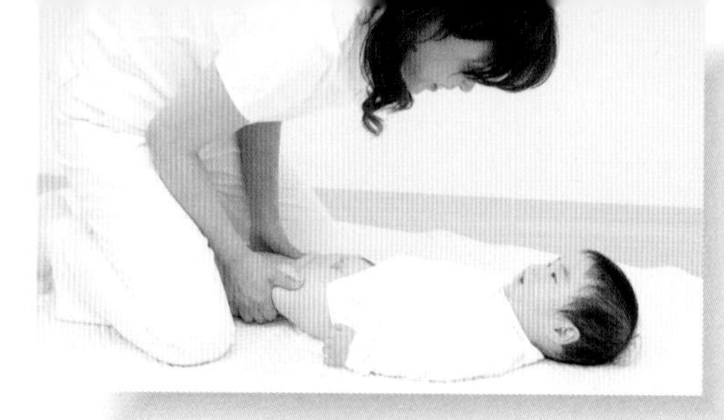

❶「伸び伸びしましょ」と言いながら、肩からつま先までをスーッと一気に手のひらでさすります。

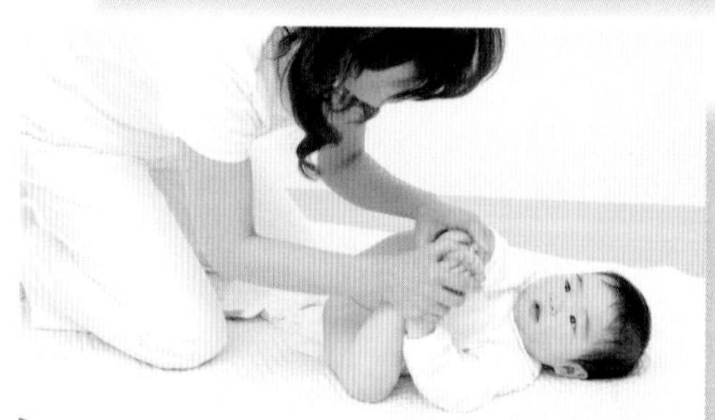

❷「足を持って」と声をかけ、自分の両足を持つように教えます。最初はお母さんが手を添えて持たせてあげるといいでしょう。

❸そのままの姿勢で、ゴロンと体を倒します。

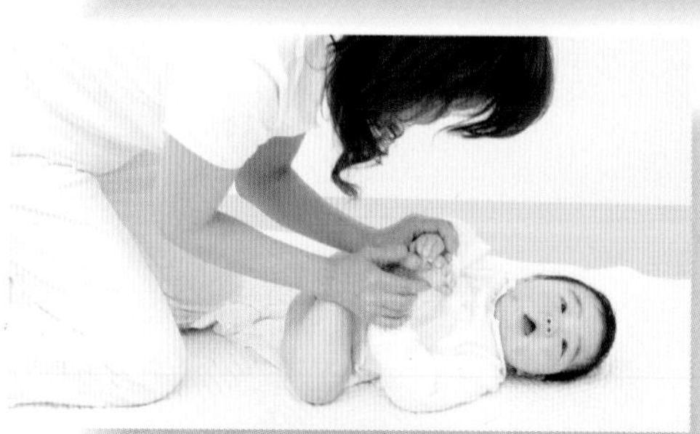

❹反対側にもゴロン。

❺最終的には、お母さんの「動かないで」という命令で、上げた足をじっと持っていられるように訓練します。お母さんがおむつをかえている間、ひとりで自分の足を持ってじっとしていられるようになったら大成功です。

感覚

ボールを転がして目で追う

ボールの行き先をしっかり見るということは「追視」の一種です。おすわりができるようになったら練習しましょう。

この動きは、先に起こることを予測する能力を育てるほか、お母さんとボールをやりとりすることで社会性も生まれてきます。

まずは赤ちゃんに声をかけてボールを見せ、そのまま赤ちゃんの注意をボールに集めた状態で転がして、行く先を目で追わせます。

Advice

お母さんと向かい合ってボールを転がして遊んでもいいでしょう。ボールの向かっている先が予測できるようになると、手を伸ばしてボールをとろうとします。

Caution

※最初は、ボールの動きが早くて目で追うのはむずかしい場合も。そういうときは布のボールや、湿らせたティッシュを丸めてボールがわりに使ってみて。転がるスピードが落ちて目で追いやすくなります。

社会性

お母さんといっしょに、にらめっこ遊び

向かい合って、いろいろな表情を見せるにらめっこ遊びは、ミラーニューロンシステムが働き、前頭前野を鍛えます。はじめは、お母さんが笑った顔、驚いた顔などを繰り返し見せて遊びます。そのうち、赤ちゃんもまねするようになります。

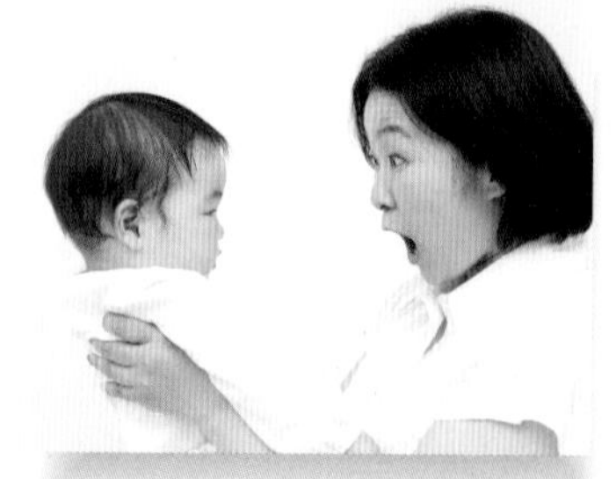

「にらめっこしましょ」「笑うと負けよ」「あっぷっぷー」で、お母さんは驚いた顔に。しだいに赤ちゃんもまねするようになります。さまざまな表情が、豊かな感情を育てます。

Advice

「ぐー、ちょき、ぱー」、「むすんで開いて」などの手遊び歌も、お母さんのまねをさせてみましょう。

NO－GO（ノーゴー）

これは、コンセントをさわろうとしているときに、触らないように学習させます。赤ちゃんが触ろうとしたら「ダメ」といって、コンセントからケーブルを引き抜いて触れないようにします。これを何回か繰り返すと、赤ちゃんは、触ろうか触るまいか考えているように見えるようになります。そのたじろいでいるときにほめてあげるのです。このように、何かを積極的にしなかったらほめてあげるということで、脳を育てていくものです。このNO－GOは、脳の発達にはとても大事なことですから、積極的に日々の生活に取り入れてください。

赤ちゃんがコンセントをさわろうとしたらやめさせます。そのまま赤ちゃんがいたずらをやめたらほめてあげましょう。もちろんその前にここが危険という説明もしてあげてください。事態を理解してやめさせる方が効果的です。

知能

「いない、いない、ばあ」のバリエーション

物事を期待して待つこの「いない、いない、ばあ」は、ワーキングメモリーシステムを鍛え、前頭連合野が発達します。バリエーションをさまざまに増やしてやってあげましょう。

いろいろなやり方を工夫して赤ちゃんと楽しんでください。

お母さんと向かい合ってすわらせ、顔にふわっとタオルをかけて、「いない、いない」と言いながら、しばらくそのままで待たせます。「ばあ！」の声に合わせて、自分でタオルをとるように仕向けます。最初はお母さんがタオルをとって教えてあげましょう。

こんどはお母さんの顔を隠してやってみます。待たせる時間も長くしたり短くしたり、のぞかせたときの顔の表情もいろいろ変化をつけるといいでしょう。

お母さんがついたてやカーテン、ドアの陰などに隠れて「いない、いない、ばあ！」で顔をのぞかせます。同じ場所でなく、いろいろなところから顔を出してあげると赤ちゃんも大喜び。

Advice

赤ちゃんとお母さんがいっしょに、鏡を見ながらやってもいいでしょう。お母さんが顔を隠した場合、赤ちゃんが振り向いてお母さんの顔を見るまでやってみましょう。

知能

おもちゃを隠して見つけさせる

目の前にあったおもちゃを赤ちゃんがとろうとしたときに、そのおもちゃを隠してしまうと赤ちゃんはそのおもちゃのことは忘れてしまいます。が、それを忘れないように短期の記憶を養うのがこの遊びです。このようにワーキングメモリーを鍛えることは、前頭連合野の発達のためにも有効です。

あらかじめおもちゃで遊んで、そのおもちゃと親しんでおきます。そのあと、器やタオルをかけて、赤ちゃんの目からおもちゃを隠します。すると、あかちゃんはパッと器をとっておもちゃをさがし当てます。見つけたら「あった！」とおおげさに喜んでみせます。

Advice

慣れてきたら小さなコップの中に隠したり、布団の下に隠したりして、隠し場所もだんだんむずかしくし、それを記憶させる訓練をしていきます。

鏡を見て遊ぶ

手を伸ばして鏡に映った自分やお母さんにさわってみると、赤ちゃんはどうも鏡に映った自分やお母さんは本物とは違うということに気がつくことでしょう。

鏡を使って自分と他人の違いを理解させたり、「いない、いない、ばあ」をして遊んだり。おすわりができるようになると鏡を使った遊びも幅が広がってきます。

手鏡にさわったり、鏡を見ながら「おくち」「おはな」「ほっぺ」などと、赤ちゃんの顔を指さしたり、いろいろな遊びをしてみましょう。

Advice

お母さんも赤ちゃんの後ろにすわって、鏡の中のお母さんと実物のお母さんとの違いを教えてあげましょう。

歩き始め期

真の知能が芽生える時期。頭を使って行動するような刺激を。

この時期のポイント

自由に行動させて
好奇心を満たす。

*

言葉を学ぶ
トレーニングをする。

*

危険から
身を守ることを教える。

赤ちゃんの時期は、大脳の神経回路が猛スピードで作られていますが、その中でもピークは1才前後といわれています。脳を発達させるには、これからが最もたいせつな時期です。

今までは、すわったまま体や感覚で刺激に反応する、感覚運動的知能でしたが、このころからは頭で考えて行動するようになります。

つかまり立ちができ、ひとりで歩くようになると、興味をもったものには自分から目標を決めて近づくようになります。

いよいよ真の知能が芽生えてきたのです。赤ちゃんにとって、歩けるようになるということは、世界が広がることで大きな意味を持ちます。

能力開発の目的は、首すわりやおすわり、はいはい、ひとり歩きが早くできるようにすることではありません。しかし、それらが早くできるようになるということは、その部分に関する脳の発達がすでにとげたことになります。

すると、さらに次の高度なステップに進むことができるので、赤ちゃんの脳を発達させるのには有利です。

人間の知的な考え方や、判断力のもとになる前頭連合野（前頭前野）も、8〜10カ月ごろから働き始め、20才ごろまでに、時間をかけて発達していきます。

赤ちゃんの旺盛な好奇心を満たしてあげるためには、いっしょにいろいろな遊びをして社会性や知能を養ってあげてください。

手

ストロー落とし

ここでは目と手を同時に使う動きを覚えます。しっかり対象物を見ながら手を動かすことを教えましょう。まず最初はお母さんがやってみせることで、ミラーニューロンシステムを鍛えることにもつながります。

ある程度集中してひとつのことができるようになってから始めるといいでしょう。ストローを入れ終わるまで指に注意を向けるようにして、集中できる時間をだんだん長くしていきます。ここで培った集中力は、のちのち勉強をはじめいろいろな場面で役に立ちます。

容器にストローが通るくらいの穴をあけて、ストローを入れていきます。ストローはいろいろな色を用意して、長さにもバリエーションをつけるといいでしょう。

Advice
牛乳パックをきれいな色に塗って穴をあけ、切ったストローをさし込ませてもいいでしょう。

手

はめ込む、さし込む、ねじる

ドアのノブなどを回し始めるのもこのころです。物の仕組みを理解するのと同時に、両手を使って手首を動かす練習をして、器用さを身につけていかせます。うまくできたらうんとほめてあげると、ドーパミンシステムがよく働くようになりますから、積極的にほめてあげましょう。

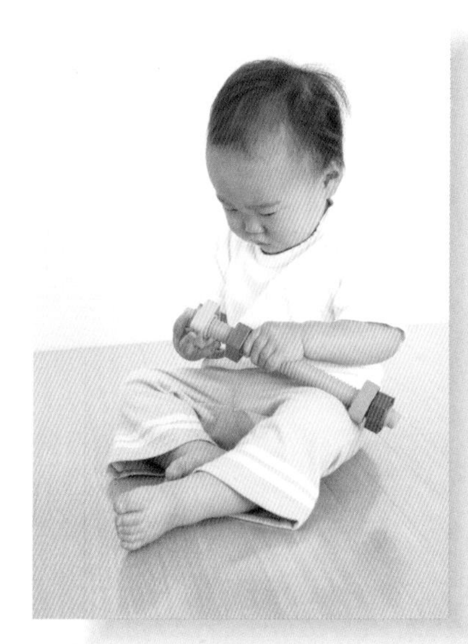

ねじ回しブロック（写真左）やプラステン（写真右）、ペグ、パズル、ブロック、ふたをゆるめたびんなど、はめ込んだり、さしたり、ねじったりできるおもちゃや日用品を用意して遊びます。

Point
ミラーニューロンシステムを鍛えるためにも、まずお母さんが何回かやってみせてから、赤ちゃんにまねさせます。

投げる

赤ちゃんはボール遊びが大好きです。ボールを投げてそれを目で追うことは物を見る能力に役立ちますし、手も器用になります。

最初はまだ飛んでいるボールを追うことはできませんが、落下地点を予測させながら、手をうまく使って投げられるように練習します。

よく弾むゴムのボールは、すぐに赤ちゃんの視界から消えてしまって目で追えないので、最初のうちは、お手玉や布の小さなボール、トイレットペーパーを湿らせてクルクルだんごのように丸めた紙ボールを使いましょう。お母さんがこれをまず投げてみせて、次に手を添えて赤ちゃんに投げさせます。繰り返し行うことが大事です。

紙を破る

紙を破るというのも高度な手の動きです。両手をじょうずに動かして、指先で力を加減しないとうまくいきません。

はじめはたてにも横にも破りやすい薄紙や新聞紙で練習し、できるようになったらさまざまな種類の紙でやってみましょう。

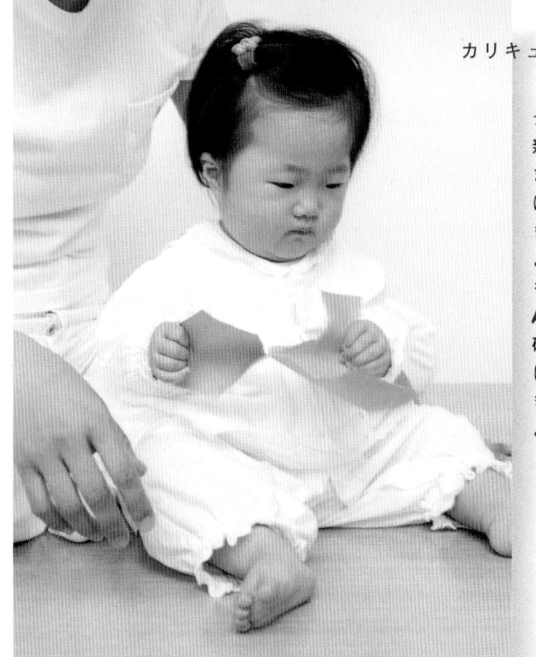

ティッシュペーパーや花紙、新聞紙などの薄い紙を破らせます。両手をうまく使うように働きかけてみましょう。できるようになったらチラシのようなかたい紙、音のする紙も破ってみましょう。

Advice
破れるようになったら、今度はこまかくちぎって、紙ふぶきにして散らして遊んでみましょう。

たいこをたたく

前の月齢では手でたたいていたものが、この時期になるとバチを持ってたたけるようになったり、バチを振り下ろせば音が出ることがわかるようになります。

両手を使って自分でたたいて音を出すことを教えるとともに、強弱をつけたり、リズムにのってたたく練習もしてみましょう。

最初は、まずバチの正しい握り方を教えます。そして、お母さんが手を添えて正しく握らせて、たたかせてみましょう。左右どちらの手でもたたけるようにします。「トン、トン、トン」などと声を出して、リズムをつけてたたきます。ある程度じょうずになったら、右手でたたくようにさせます。

Caution
※片手でたたくときはもう片方の手でたいこを支えることを教えてあげて。

Advice
たいこ以外にもテーブルやなべ、コップ、スプーンなど身近なものを使ってみましょう。

Point
リズムをつかさどっているのは左脳なので左ききの赤ちゃんでも右手でたたきます。

運動

じょうずな転び方の練習

はいはいのころと違って歩けるようになると、危険な目にあう可能性も格段に高くなります。

これからは自分のことは自分で守るということも教えなくてはなりません。転んだときにうまく手をつけて危険を避けることができるように、じょうずな転び方を練習しておきます。まずは、これは危ない、と思ったときにさっと手を出す練習です。

赤ちゃんをうつぶせのままおなかを支えて抱き上げ、そのままの格好で、最初は体を揺すってみます。こうすることで、自然に手が前に出るように仕向けます。

次に、うつぶせにしたまま、体をスッと床に近づけます。ここで危険を察知して、自分からパッと両手を出して、体を支えるポーズがとれるようになれば大成功です。手が出ると同時に頭部も動かすようになると、直線加速を感じる耳石器も働きますから、無意識に手が出るようになるまで、何度も練習しましょう。

布団やマットレスを敷いた上にさらに布団などを丸め、赤ちゃんをうつぶせにして、両足を持ち、顔を床に近づけたり離したりして両手を出させる練習もやってみましょう。

Advice

まず歩くようになったら、座布団などを床の上に1～2枚敷いておいて、赤ちゃんを呼び、座布団まであと一歩というところで「ストップ！」と声をかけます。これは自分の意思で自分の身体を止めることの練習です。とっさのときに危険から身を守ることができるようにするためですから、繰り返し練習しましょう。

立っち、あんよの練習

これまで紹介してきた「おむつ体操」や「たかい、たかい」は、筋肉を鍛えたり、平衡感覚を養うだけでなく、うまく歩行ができるための練習でもありました。

立っちやあんよには個人差がありますが、10ヵ月～1才ぐらいになると、体はぐらぐらしますが、自分で立つことができるようになります。

脳の発達面から見ると、立っているときは緊張筋、歩くときは相動筋という筋肉を脳が働かせて「立て」という情報を脳に送り、同時に迷路反射を起こす内耳からも脳に情報が送られます。このようにして、二本足歩行になるとより脳が働き人間らしくなるのです。

伝い歩き
低いテーブルなどを使って、赤ちゃんから離れたところからおもちゃで誘い、伝って歩く練習をさせます。左右どちらの方向にもできるようにします。

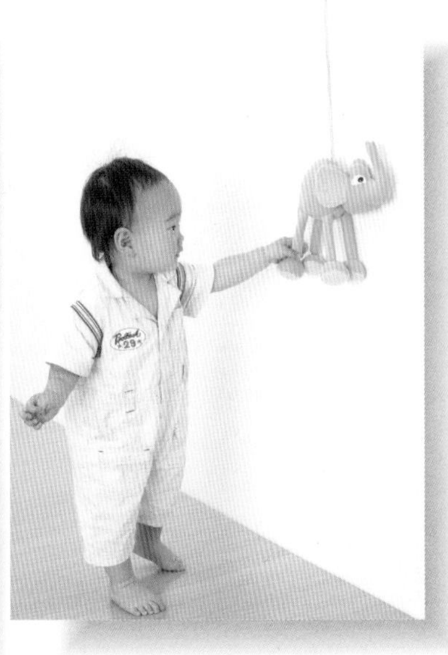

鏡の前で長く立つ
鏡に興味をひかせて、少しでも長く立っていられる練習をします。壁におもちゃをつったり、絵をはったりしてさわらせてもいいでしょう。

Point
片足を後ろに引いてバランスをとって立つことを教えてあげましょう。

Caution
※つかまり立ちや伝い歩きができるようになったら、ちょうどよい高さの机やテーブルを用意してあげて。
※赤ちゃんが体重をかけると倒れるような危険なものは片づけておきましょう。

Advice
つかまり立ちをするときには、足は肩幅くらいに開きかかとをつけるようにしましょう。

運動

立っち、あんよの練習

お母さんと手をつないで歩く
お母さんと片手だけつないで歩きましょう。足に合わせて手を前後に振ります。右手、左手均等に。

Advice
はじめは、赤ちゃんをお母さんの足の甲にのせて歩き、歩くリズムを身につけさせます。（57ページ参照）

ひとりであんよ
交互にひざを曲げて足の裏を地面から離せるようになれば、ひとり歩きができるようになります。公園などで伸び伸びと歩かせましょう。

赤ちゃんの股を開いてすわらせ、少し離れたところからお母さんが股の間をねらってボールを転がし、赤ちゃんにとらせます。とったボールを転がして返させます。うまくできたら大げさなくらいほめてあげることも大事です。

近い距離でのボール転がし

ボールを投げて落下させるのではなく、腕を振って指をうまくボールから離す練習です。前に紹介した動きはお母さんが転がすボールを赤ちゃんが目で追って手を出させる練習でしたが、今度は赤ちゃん自身が転がすように仕向けます。

最初はごく近い距離からボールを転がしはじめ、しだいに距離を長くしていきます。お母さんが転がすのを見せて練習させましょう。

感覚

小麦粉遊び

手を使うと脳が発達するとはよく言われていることですが、これはあれこれ考えて手を使ったり新しいものを作るときには前頭連合野〈前頭前野〉を使うからです。ぜひ赤ちゃんのうちから十分考えて手を使うよう、仕向けていきましょう。

砂場遊びのような手でさわって物の感触を覚える遊びをたくさんさせてください。ここでは家庭で簡単にできる小麦粉遊びを紹介します。小麦粉からおだんごを作り出す体験をするとともに、サラサラ、ベトベトの感触を味わいます。

サラサラ、ベトベトの感触を味わう
大きなお盆やビニールシートの上に小麦粉を出して、手でさわらせて、そのサラサラした感触を好きなだけ味わわせます。次に、その小麦粉に水を加えてベトベトにして、どろんこ遊びの要領で、その感触を楽しませます。

おだんご作り
また少し小麦粉を加えて、こんどは耳たぶくらいのかたさのかたまりを作って、この小麦粉粘土でいろいろな遊びをします。ちぎっておだんごを作ったり、手でこねこねしているうちに思いもかけないものが誕生することでしょう。

Advice
小麦粉粘土を小さくちぎって、並べてみたり、お母さんといっしょに作ってもいいでしょう。また、手のひらで棒のように丸めたり、引っぱったり、平たく伸ばしてみたり、いろいろ形を作ってみましょう。

フィンガーペインティングで色を知る

小麦粉遊びで体験したベトベトにくわえて、今度は色の変化や指先をうんと使う感覚を知る遊びです。

水のりと絵の具をまぜ合わせてベトベトにしたものを、お母さんが指を動かしてさわってみせ、赤ちゃんにも指先の感触を楽しませます。

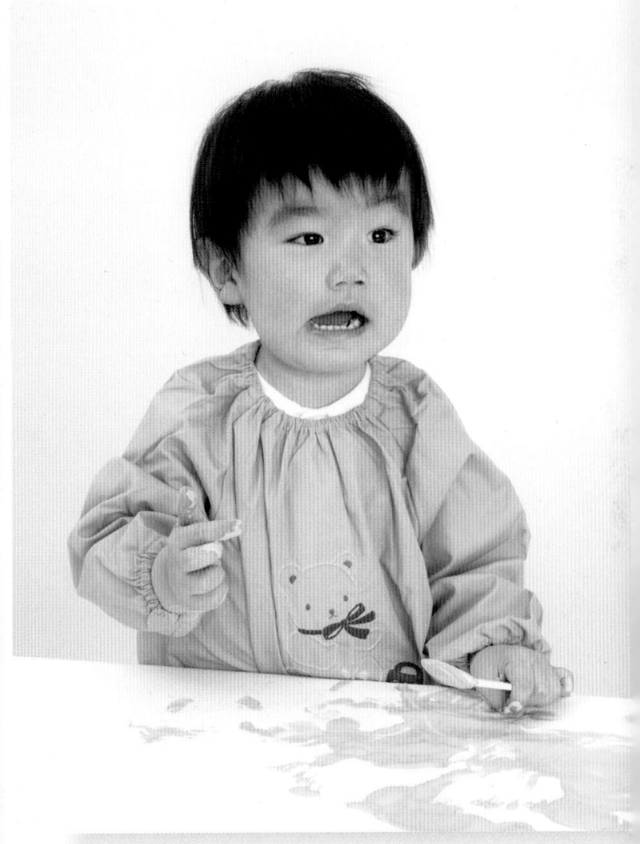

指先やスプーンを使って絵の具と遊びながら、絵をかいたり、感触を楽しみます。

Point

小麦粉遊びをじゅうぶんしたあとの、1才くらいから始めるのがいいでしょう。

Advice

最初の色の上に、別の色を筆でポトンと落として、指先でまぜ合わせて、みるみる色が変化していく様子を見るのもいいでしょう。

感覚

ラッパを吹く

言葉が話せるようになるためには、うまく息を吐く呼吸を身につけなくてはなりません。ラッパ遊びは息を吐くことを教えて発語を促すのが目的です。

息を吸っても音は出ず、強く吹けば音が出ることを赤ちゃんが知れば、おもしろがって吹くようになることでしょう。最初は、お母さんが楽しそうに吹いている様子を見せます。

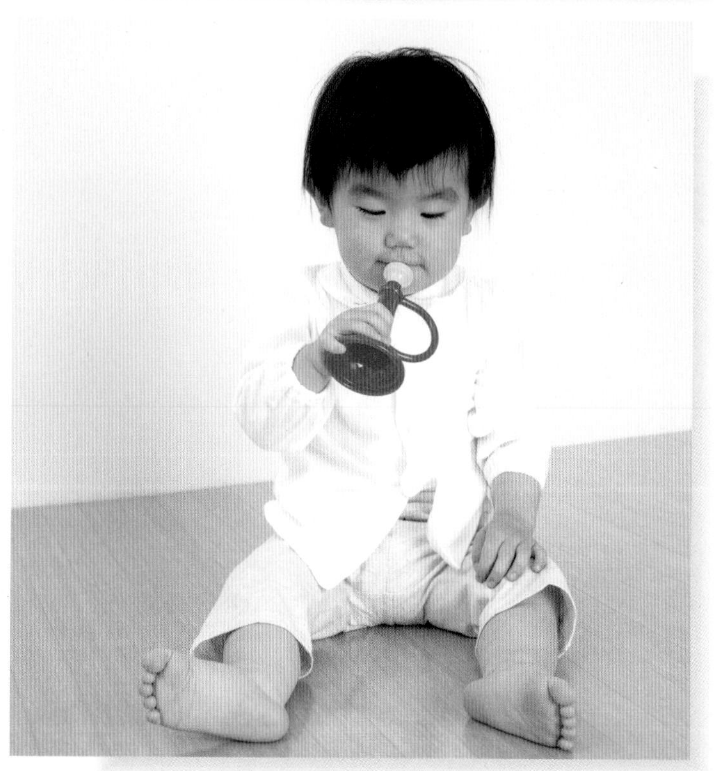

おもちゃのラッパを持たせて口にくわえさせ、吹いて音を出すように促します。なかなか吹こうとしないときは、「フッ、フッ」とお母さんが口元を見せて息を吐くことを教えてから、もう一度ラッパを吹かせます。お母さんがお手本を見せてから赤ちゃんに試させることは、ミラーニューロンシステムを鍛えるためにも役立ちます。

三原色を知る

赤ちゃんが最初に認識できるのは赤、青、黄の三原色です。次に黒、白、いろいろと複雑な色が区別できるようになります。

ここでは色の名称を覚えるのではなく、まず色を認知し、同じ色と違う色を区別させていきます。

紙に赤、青、黄の3色の風船などの絵を書いて中をその色に塗っておきます。赤ちゃんにその3色のいずれかの色のシールを持たせ、同じ色の風船のところに貼っていくように促します。

Advice

色が区別できるようになったらシールの数を数えさせてもいいでしょう。

社会性

おつむテンテン

昔から伝えられている手遊びはいろいろあります。お母さんといっしょにこれらの手遊びをたくさんしましょう。単純な音を繰り返すことで言葉を覚えるだけでなく、お母さんとのコミュニケーションも深まり、社会性も育っていきます。

「おつむテンテン」のほか、おつむを、おみみやほっぺに変えて遊びます。「カイグリ、カイグリ、トットの目」「チョチ、チョチ、アワワ」なども2人で向かい合って、または鏡の前で自分の顔を見せながらやってもいいでしょう。

「あたまトントン、かたトントン」のポンポン体操もやってみましょう。「キラキラ、キラキラ……」では両手を写真のように広げ、手首を外転・内転させます。お母さんがやってみせて、赤ちゃんにもやらせましょう。

知能

高度な「いない、いない、ばあ」かくれんぼ遊び

ワーキングメモリーを養ったり、予測する力をつける「いない、いない、ばあ」は赤ちゃんの知的な脳の発達を促す、いわば「頭のよくなる遊び」です。いろいろとパターンを変えてこの時期にも大いにやってあげましょう。

歩けるようになったら、ついたてやカーテン、ドアの陰なども活用してお母さんの姿を探させるかくれんぼ遊びもおすすめです。

また隠したおもちゃを探させるなど、より高度な遊びをすることで、でワーキングメモリーを高めていきます。

ついたてやドアの陰にボールを転がしてとりにいかせたり、お母さんが「ばあ！」と物陰から顔をのぞかせたりします。暗いところでも平気で通れるようにします。

赤ちゃん同士で「いない、いない、ばあ」をして遊びます。段ボールを利用して、赤ちゃんの顔の高さに穴をあけたものを作ってもいいでしょう。

知能

おもちゃを隠して、探させる

まず好きなおもちゃを見せてからそれを隠して、赤ちゃんに探させるという遊びです。これによりワーキングメモリーを育てます。

おもちゃを見せておいて、赤ちゃんの目の前でそれをタオルの下に隠し、赤ちゃんに見つけさせます。歩けるようになったら、少し距離の離れたところに隠してとりにいかせましょう。

Advice

大きな袋を用意してその中におもちゃを隠してもいいでしょう。おもちゃを探すことに、袋をあけて取り出すという動きがくわわるため、より進んだ遊びになり、問題を解決する能力も育ちます。

これなあに？

　まだ言葉を話すのは無理でも、物を認識することはできています。絵本を見せたり、身のまわりのいろいろなものを見せることで、赤ちゃんの好奇心を引き出しながらそれを言葉に出してどんどん話しかけてあげましょう。

絵本を見せながら「これなあに？」「○○ちゃんの好きないちごがたくさんあるね」というぐあいに赤ちゃんに話しかけます。食べ物、動物、乗り物など、赤ちゃんが興味を引くものをたくさん見せてあげましょう。この時期に覚えた言葉は、次に文章を作って話すときに役立ちます。

Point

字や言葉がわからなくても赤ちゃんは形を認識しています。動物や身近な生活を描いた赤ちゃん向けの絵本などを見せてあげるといいでしょう。

カリキュラム

1才～1才半ごろ

あんよ期

感覚野の発達が完成する時期。言葉や目で意思の疎通を。

この時期のポイント

言葉のふれあいを
たくさん持つ。

*

話すときは、
目と目を合わせて。

*

背中や腰を鍛えて
しっかり歩けるようにする。

1才ぐらいになると、運動野、視覚野、聴覚野、皮膚感覚野など、基礎となる多くの部分の回路は、ほぼ完成しています。脳そのものの重さも、生まれたときは約400gだったのが、1才では約700gと倍近くなっています。生まれてから わずか1年の間に、赤ちゃんがどれほど大きな成長をとげたかがわかります。

それは赤ちゃんを見れば、一目瞭然です。首がすわって、寝返り、おすわり、はいはい、立っち、あんよと、赤ちゃんは目覚ましい進歩をとげています。そろそろ、「ママ」「パパ」「まんま」などの単語も出てくるでしょう。1年前と比べると目をみはる成長ぶりです。これまでは、赤ちゃんの能力にそれほど大きな個人差はなかったのですが、1才を過ぎて歩き始め、片言を話すようになると、だんだん個人差が出てきます。

赤ちゃんの能力をさらに伸ばすためにも、これからも続けてお母さんがいい環境を与えてあげることがたいせつです。いい環境とは、赤ちゃんにさまざまな刺激を与えられる環境のことです。それによってますます脳が発達していきます。

特に、これからは言葉によるやりとりをたくさん持つように心がけてください。言葉を覚えることと知能の発達は、深く関係しているからです。

手

伸び伸びとなぐりがき

自分の手の動きが紙に示されるおもしろさを、ここでは体験させます。

鉛筆やクレヨンはまちがった持ち方を覚えてしまうとあとから直すのがたいへんになりますから、今のうちに正しい持ち方を教えておきましょう。

最初は壁に貼った模造紙に鉛筆で自由になぐりがきをさせてもいいでしょう。次に、床に広げてかかせます。鉛筆が持てるようになったらクレヨンで。鉛筆もクレヨンも、手にすっぽりおさまるくらいの短いものを、包み込むようにして持たせるといいでしょう。

手

紙を長く引き裂く

ティッシュペーパーや新聞紙を破る練習（67ページ参照）の続きとして、手の動かし方や指先使い、力の入れ方などをトレーニングしていきます。

今度は大きな紙を使って両手を大きく開きながら、できるだけ長く引き裂いてみましょう。長く引き裂くことができれば、それだけじょうずに両手が使えるようになったということです。厚い紙、薄い紙、読み終えた週刊誌や雑誌などでも試してみましょう。

両手をうまく使って、新聞紙をできるだけ長く引き裂いてみましょう。

Caution

※繊維の方向に裂くとうまくできますから、一方向に裂けるような紙を使いましょう。

Advice

最初は、半紙を繊維に沿って1～2㎝のテープ状に手で破り、それを長く並べてみせます。赤ちゃんが興味を示したら、手を添えて挑戦させてみましょう。

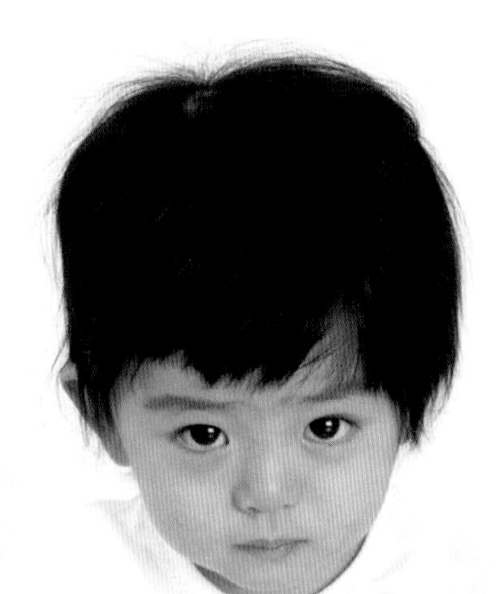

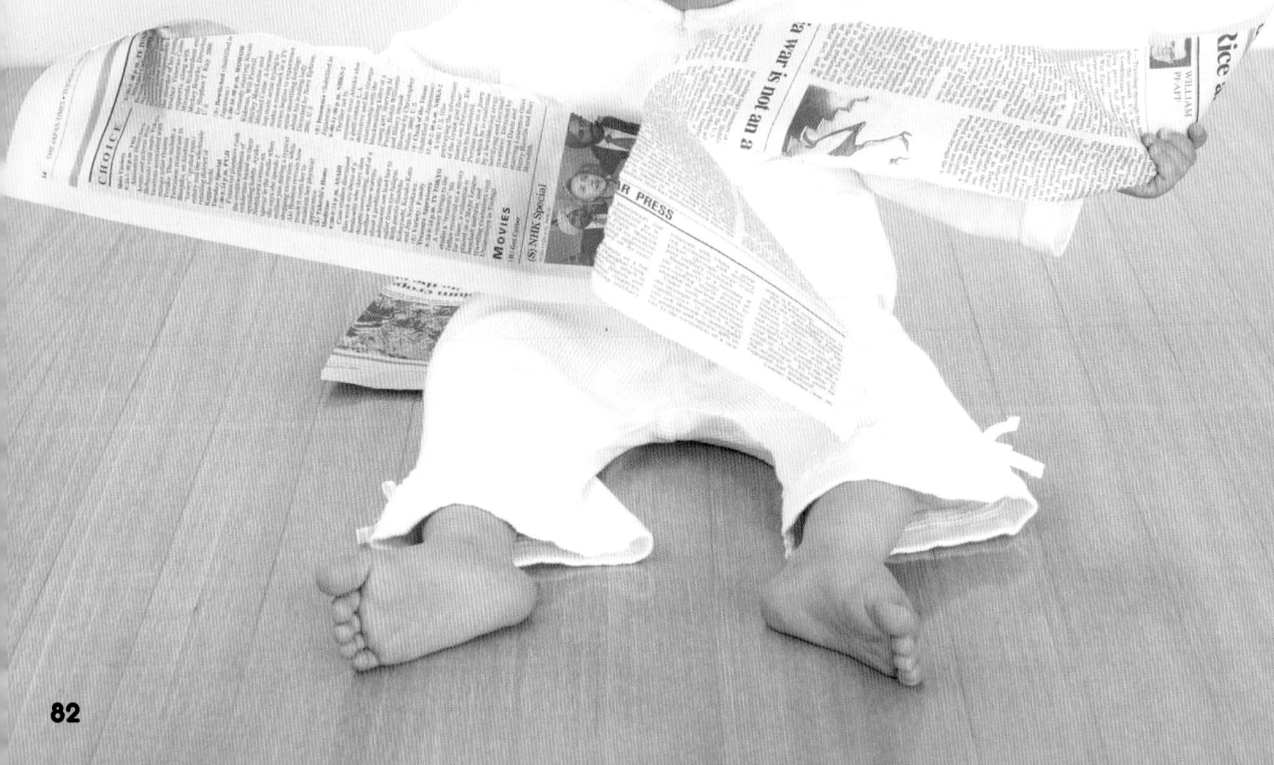

積み木遊び

子どもの自由な創造性をはぐくむ積み木遊びは、これから先も大いに取り組んでほしい遊びのひとつです。

積み木を高く積む作業は意外と難しいのでこの時期の赤ちゃんには無理かもしれません。最初は横に並べたり、お母さんが積んだのをくずす練習から始めましょう。そのときには片手だけでなく、両方の手を使って、片方の手を補助として使うことも教えてあげるようにします。

最初は、お母さんが積み木を積んで赤ちゃんに倒させます。次に、積む手元を見せて、まねさせます。横にも並べてみましょう。この動作はミラーニューロンシステムを鍛えるのにも役立ちます。もっと月齢が進んだら、積み木を自動車などにみたてて遊びましょう。

高く積み重ねる

積み木を高く積むことよりもさらに難しいのがこのコップ重ねです。うまく積んでいくためには、まず大小の認識が必要なのと、倒さないようにうまくバランスをとる必要があります。

大きい順に、コップを倒さないようにうまく積み上げていきます。

Point
ひとりで積み木を積み重ねることができるようになるのは、1才以降くらいからです。コップ重ねも写真のように高く積むことができるようになるのは、それよりさらにあとの2才近くになってからです。

Advice
このコップ遊びは積むこと以外にもさまざまな遊びができるので、1才前から遊ばせておくといいでしょう。

運動

つま先立ちの練習

しっかりと立ったり、歩くことができるためには、足の親指のけりが重要です。斜面をはいはいで登る練習をしたのも（55ページ参照）、この親指のけりを覚えるためでした。

立って歩けるようになったら、今度はつま先立ちの練習をすることで、この親指のけりを強くしていきましょう。

壁にお気に入りのアニメやキャラクターなどの絵を貼り、それをつま先立ちしてとらせます。子どもが手を伸ばせば届くところにおもちゃを置いたりしてもよいでしょう。

さか立ち

体を使ったダイナミックな遊びもこの時期になると始まります。さか立ちもそのひとつ。

まずは両手をしっかり床につけることを教えましょう。さか立ちは、背筋を鍛え腕の力を強くし、さらに平衡感覚を養います。

最初は、お母さんが赤ちゃんの腰を持って、体をプラプラさせたまま手を前に出して進みます。両手が床にしっかりつけるようになったら、さか立ちの姿勢をとるようにしていきます。

でんぐり返し

さか立ちができるようになったら、今度は体をゴロンと体を回転させるでんぐり返しを練習しましょう。これは危険に対処する体の動きの会得にもつながります。

基本は自分から手をつくこと。これがじょうずにできるようになれば、でんぐり返しもできるようになります。

両足を開き、股の間から反対側を見せます。両手をつけてしゃがんだ姿勢から足を持ち上げ、「おへそを見て」と声をかけながら前転させます。頭をそらせるときは、介助して中に入れてあげるといいでしょう。

運動

ゴロゴロいも虫

マットの上でいも虫のようにゴロゴロ転がる遊びです。これは迷路反射による体の動きを利用します。

まずは体や手を動かすコツをつかみましょう。子どもはこの遊びが大好き。お母さんもいっしょに楽しむのもいいでしょう。

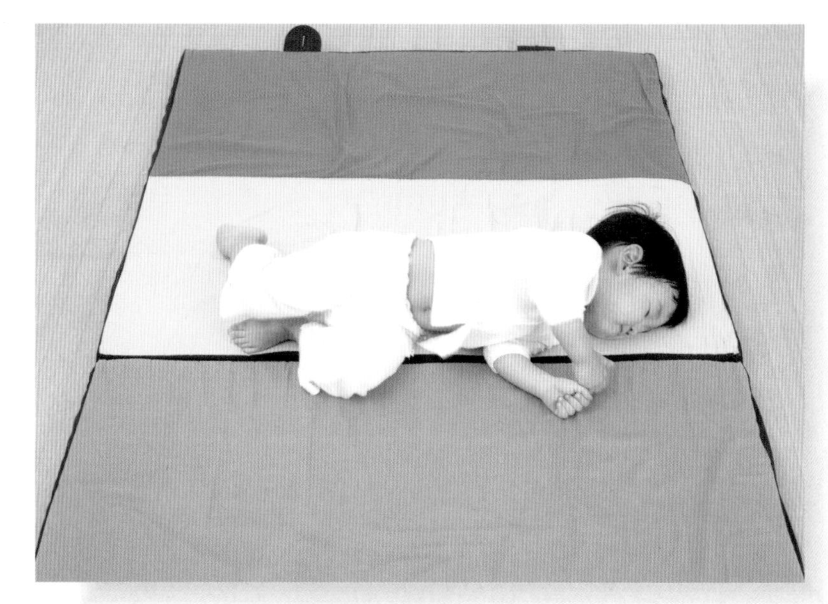

布団やマットレスの上でいも虫のようにゴロゴロと体を回転させます。これも初めはお母さんがやってみせ、赤ちゃんにまねさせるようにしましょう。

手をついて階段の上り下り

赤ちゃんにとって階段を上るのは比較的やさしいことなのですが、下りるのは難しいものです。

最初は頑丈な箱などを使って練習してみましょう。手をつかなくても上れるようになったら、マンションやスーパーの階段などでもやってみましょう。

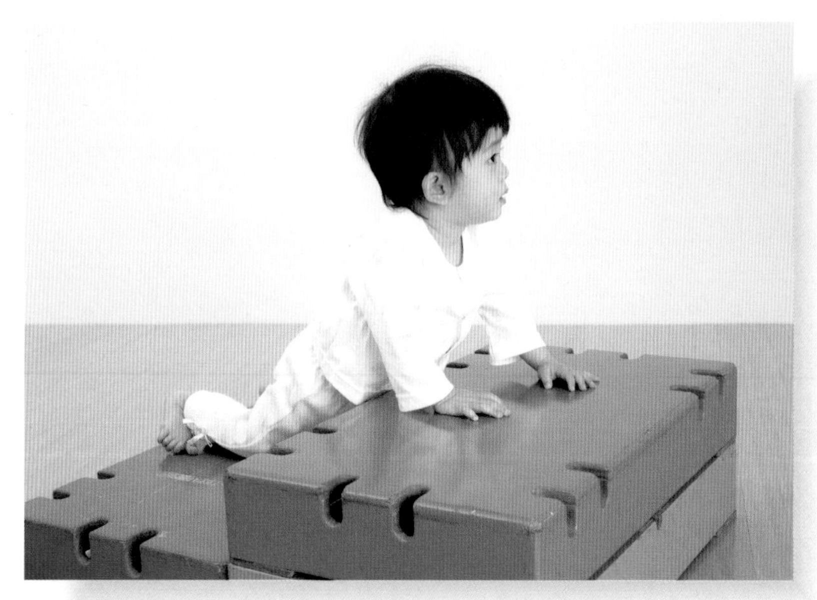

大型の積み木や箱を利用して段差をつけ、最初は手をついてその段差を上がらせます。上がったら、今度は後ろを向いたまま下がります。片足ずつしっかり体重をかける練習をします。

Advice

うまくできないうちは、おしりを軽く支えておいてあげましょう。

輪投げ遊び

歩く、目標との距離を判断する、輪を投げる、といった2〜3のことを同時にできること、さらに目的のある遊びをすることが、この輪投げ遊びのねらいです。

最初は輪を持たせ、棒のそばまで歩いていって入れさせます。輪をそこに入れるというルールを教えます。うまくできるようになったら、次は少し離れたところから投げて入れます。お母さんが手を持って教えてあげましょう。こうして距離をだんだん離していきます。

Point

子どもにやる気を出させるために、棒に輪が入ったら、必ず大げさにほめてあげましょう。これはドーパミンシステムをよりよく働かせるためにも有効です。

感覚

色を識別する

同じ色、違う色など色を分別して色彩感覚を発達させていきます。

この遊びは単に色を区別するだけでなく、部屋じゅうに散らばったおもちゃを１つずつ拾うことで周辺視の訓練にもなります。

赤、青、黄のボール（おもちゃでも）などをたくさん部屋にばらまき、別にそれと同じ赤、青、黄の袋を用意して、子どもにボールを拾わせ、同じ色の袋に入れさせます。

Advice

色の違うコップやボールを見せて「どっちの色が好き？」と尋ね、２つの中から選ばせる遊びをしてもいいでしょう。

高いところを見上げる

高いところを見たり、上下の動きを目で追えるように訓練していきます。

目玉の上下運動は難しいものですが、これができるようになると視線と体の動きが一体となって歩く姿勢も安定します。

高いところからおもちゃを見せて、それを上下、左右に動かして目で追わせます。両目がちゃんと上下左右に動いているかどうかを観察しましょう。

Advice

おもちゃを天井からつるしてもいいでしょう。

ばらまいた ボールを拾う

　このボール拾いはいろいろな視覚を鍛えるのに役立ちます。まずは全体を見回す周辺視、同じ色ごとにボールを分ける色の識別や大小の区別もこの遊びで練習することができます。
　ここでは手始めにボールを拾わせることで、周辺視を養いましょう。

大きいボール、小さいボール、色の異なるボール、手ざわりの違うボールなどをたくさんばらまいて、１つずつとってこさせます。見て、目標まで歩いていって、拾って、持ってくる練習です。

動くものを しっかりと目で追う

　ただぼーっと物を見るのではなく、注意深く見る「注視」を養う練習です。
動くものを目で追わせて、物をしっかり見る訓練をさせましょう。これを身につけておくと、見たものを記憶して整理して脳にファイルしておく能力が鍛えられます。

ペープサートを使ったお話を聞きながら、その動きを目で追います。家では、動物や自動車の形に切り抜いた紙を手鏡に貼って、光を当てて天井に影絵を映し出し、それを目で追わせましょう。こうして注視できる時間を延ばしていきます。

Point
ペープサートは、月齢が低いうちは、人形が引っ込むとよそ見をしますが、月齢がすすむとまた人形が出てくることを覚えていられるようになり（ワーキングメモリーシステム・短期の記憶）、人形がいなくなっても目をそらさず待てるようになってきます。

知能

顔の部分の名称を覚える

赤ちゃんは早いうちから顔というものを認知します。顔を理解する場所は脳の中でも特別なところにあり、体のほかのところより赤ちゃんは強く注目します。それを利用して顔の各部分の名称も今のうちに覚えさせていきましょう。

顔のシール貼り
紙にうさぎやくまなどの簡単な動物の顔の輪郭を書いて「おめめやおくちはどこ？」と問いかけて、目や鼻、口の位置に丸いシールを貼らせて、単純な顔を作ります。

ゆらゆらタンタン
赤ちゃんといっしょに「ゆらゆらタンタン、おめめ、ゆらゆらタンタン、おはな、ゆらゆらタンタン、おくち」と、歌に合わせてお母さんが赤ちゃんの目、鼻、口、ほっぺ、耳とさわって、赤ちゃんにもまねさせます。鏡の前で、鏡を見ながらやってもいいでしょう。

Point
顔の部分の名称を覚えるのはこのころですが、この歌を歌いながらの手遊びはもっと早く、赤ちゃんがお母さんのひざにすわれるようになったころから始めてかまいません。

大小がわかる

身近なものをくらべて見せて、大きい小さいを理解させましょう。

たとえば赤ちゃんの靴とパパの靴をくらべて見せるなど、日常生活の中から見つけてくるのがいいでしょう。

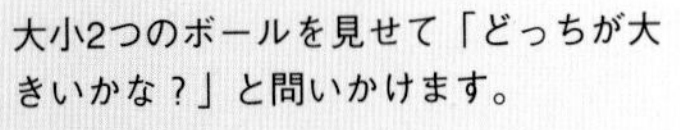

大小2つのボールを見せて「どっちが大きいかな？」と問いかけます。

Advice

大小2種類のボールをたくさん転がして、大きな袋と小さな袋を用意し、大きなボールは大きな袋へ、小さなボールは小さな袋に入れさせてもいいでしょう。

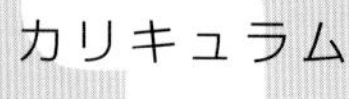

カリキュラム

1才半〜2才ごろ

じょうずにあんよ期

前頭連合野＜前頭前野＞を活発に働かせる時期。たくさんの新しい体験を。

この時期のポイント

外の世界をたくさん見せる。

＊

しっかり物を見つめる
トレーニング。

＊

形や色の感覚を豊かにする。

＊

いろいろな
運動パターンを覚える。

生きていくために欠かせない、基礎的な部分の脳の神経回路は、もう大部分できあがりました。前頭連合野も、これまで以上に活発に働くよう、新しい体験や環境の場をたくさん作ってあげましょう。

この時期は特にいろいろなものを見せる訓練をたくさんしてください。赤ちゃんのころのように反射で物を見るのではなく、今は自分の意志でしっかりと見るようになっていますから、公園や町の中、スーパーやデパートなどにも連れ出して、外の世界を見せてあげましょう。

指先も器用になって、小さなものもつまめるようになり、細かい作業もできるようになりました。

歩き方もじょうずになりました。けれども、まっすぐ歩いたり、横に歩いたり、後ずさりしたりする“応用編”を、これからの練習でしっかり身につけさせてください。また、危ないときはとっさに立ち止まれるようなテクニックも身につけさせます。

社会性や知能を働かせる遊びは重点的にやりたいものですが、同時に、日常生活の基本やマナーなどのしつけもしていきましょう。

個性もはっきりしてきます。子どもの得手、不得手をよく観察して、興味を持つ方向の能力を伸ばしてあげるとともに、苦手な分野も少しでも上達するように努力させましょう。

手

積み木を何段か積み重ねる

ここでは積み木を積んでいくことを覚えていきます。はじめは2つ3つでもかまいません。自分でできるよう、根気よくやらせてみましょう。まずはお母さんがお手本を見せてあげるといいでしょう。これはミラーニューロンシステムを鍛えることにもつながります。

子どもの目の前でお母さんが積み木を積んでみせます。特にお母さんの手元をよく見せてください。次にそれをくずして、「○○ちゃんもできるかな？」と、子どもにさせましょう。最初は手を添えて、2段目、3段目を積ませます。うまくできたらうんとほめてあげましょう

手

ひもを通す

このころになると、いつも使う手、つまりきき手がはっきりしてくることでしょう。

手にはきき手とそれを補助する手というふうにそれぞれ役目があって、それらの手を協調させて初めて一つの作業がうまくできることを会得させていきます。

穴の大きいものから小さいもの、太い糸から細い糸へと練習させていきましょう。その前段階として、ストローをばらまいて拾わせて、穴があいていることを認識させておくのもいいでしょう。

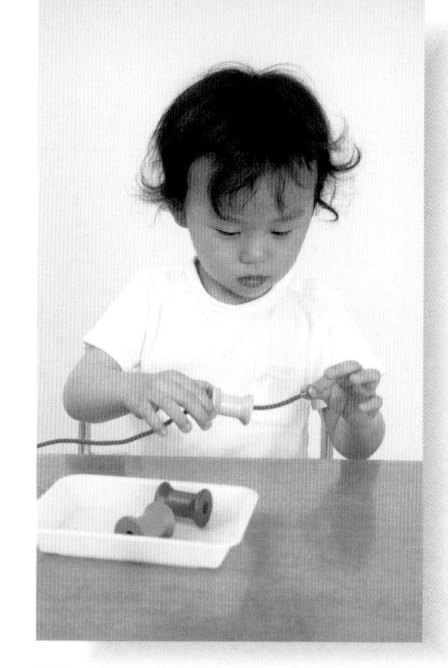

最初は穴の大きなひも通しに太めのひもを通します。きき手にひもを、もう一方の手にブロックを持ちます。

Point
初めは1、2個だけ通させてみて、子どものやろうとする気持ちを大事にします。無理じいはしないようにしましょう。

できるようになったら、もう少し穴の小さいもので練習していきます。

Advice
うまくできないときは、ひもの先にセロハンテープなどを1〜2cm巻きつけてかたくしておくと通しやすくなります。

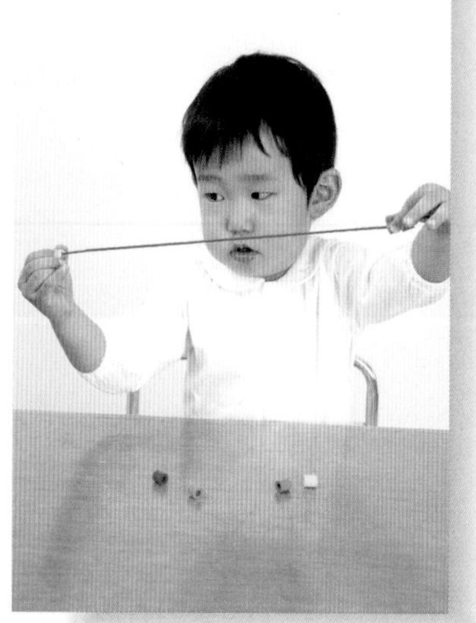

よりむずかしい小さな穴（ビーズなど）に細いひもを通します。真剣な顔つきで、全神経を手先に集中しています。写真は、穴にひもを入れて、指を使ってその端を引っぱり出しています。両手ともこまかな指先の動きが要求されます。

Advice
さらにストローを短く切って、荷作り用のナイロンひもを通させてもいいでしょう。このひも通しは、指先に注意を集中するため、集中力もつきます。

ファスナーの あけ閉め

指先が器用になることは、生活するうえでも便利です。ファスナーのあけ閉めもその一例です。写真のような布のおもちゃを使って、楽しみながら練習していきましょう。

ファスナーのついた布のおもちゃを使って、子どもにあけ閉めをさせます。

ボタンをかける

ボタンかけは自立の第一歩。それを遊びの中で練習させていきましょう。むずかしい手首のひねりや、しっかり持てるよう指先の力の入れ方などの高度な技術が習得できます。

ボタンかけ用の布のおもちゃを使って、ボタンをかけたり、はずしたりする練習をします。なかなかかけられないときは、さりげなくお母さんが手助けをして、子どもに「自分でできた」という満足感を与えてあげましょう。

Advice
子どもが興味を持って取り組むことができるように、お母さん手作りの教材を用意してあげてもいいですね。

Point
日常生活の中で、洋服の脱ぎ着のときに少しずつ練習させて、指先の器用さを養うといいでしょう。指先を使うことは考える能力を高めます。

運動

まっすぐ歩く

歩けるといっても、千鳥足ではじょうずな歩き方とはいえません。ここではまっすぐにしっかり歩く練習をしましょう。

前に歩くだけでなく、横に歩いたり、後ろに歩いたり、いろいろな歩き方をさせてみてください。こうすることでバランスのとれた美しい歩き方ができるようになります。

家庭では畳のへりや敷居の上を歩かせて練習するといいでしょう。

ラインの上を歩く
床にビニールテープやロープを張って、その上を歩かせます。最初はお母さんが後ろから両手を支えて、足の間に子どもの体を入れるようにして歩きます。

Point
歩くときはリズミカルに。お母さんと手をつなぐときには片方の手だけでなく、両手とも同じように使い、手を前後にふってあげましょう。

平均台の上を歩く
低い平均台の上を、バランスをとりながらまっすぐに歩く練習です。最初はお母さんが手をとって練習し、しだいにひとりで歩けるようにしましょう。

カニ歩き
低い平均台の上を横に歩きます。お母さんと並んでやってもいいでしょう。また、後ろ向きに歩く練習や、足を交差させる交差歩きなどもしてみましょう。

運動

走る

走ることは、かけ声で体を動かしたり止めたりするため、高度な脳の働きが要求されます。このときに大事なのは止まる練習です。合図でぴたっと止まれるようになれば、危険防止にも役立ちます。

1才前後の歩けるようになったころに、「止まれ！」の練習をしていたでしょうか？（68ページ）もしそれをしていないのであれば、ここでの「走れ」「止まれ」の練習を大いにやらせましょう。こうすることで、とっさのときに危険から身を守るすべが身につきます。

「よーい、ドン！」のかけ声で走り、次に「止まれ！」の合図でパッと止まります。テンポの速い曲をかけて練習してみてもいいでしょう。
ロープでスタートラインとゴールを作って、お友達と競走するのもいいですね。

跳び下りる

ジャンプは瞬発力をつけ、体を動かすタイミングを学ぶ高度な体の運動です。

まず段差のあるところから両足をそろえて跳び下りる練習から始めましょう。子どもがこわがらないよう、最初は台を低くします。

台からのジャンプをマスターしたら平面ジャンプの練習にうつります。

低いところから自分で跳び下りる
最初は、大型の積み木を１段おいて、その上から両足をそろえてひとりで跳び下りる練習をします。家庭なら低い階段の１段目でもいいでしょう。

高いところから手を持ってもらって跳び下りる
２段、３段と徐々に高さを高くします。こわがらないで自分で跳べるようになるまで、お母さんが手を持ってあげましょう。

高いところから自分で跳び下りる
こわがらなくなったら、いよいよ高いところからひとりで跳ばせてみます。跳び下りたときに、しっかり足が床についているかどうかを確かめてください。

Point
お母さんが手を持ってあげるときは、子どもが自分で「できた！」という気分になるようにうまく介助してあげましょう。

運動

滑り下りる

滑るという動作で頭の位置をうまくスピードに合わせて固定し、外からの力に対応することを覚えます。

こわがらないで、滑り下りることができるようになると、外での遊びも広がりますから、積極的に練習しましょう。

低い室内用の滑り台などを使って、階段を上って、滑り下りる練習をします。こわがるときは、お母さんが片方の手をつないであげましょう。

手をつかないで
階段の上り下り

　両手をついたり、お母さんに手をつないでもらったりして上ったり下りたりしていた階段もそろそろひとりで上手に上り下りできるようになってきます。足元がふらつくときはおしりを支えてあげましょう。

体のバランスをとりながらゆるやかな階段を上って、前を向いて下りる練習をします。下りるほうがむずかしいので、できるようになるには時間がかかるでしょう。

運動

片足で立つ

何でも大人のまねをしたがるのがこの時期の子ども。ぜひ大人の複雑な動きもまねさせてみましょう。

お母さんのまねをさせて片足立ちを練習し、高度なバランス感覚を養いましょう。鏡や平均台の上でいっしょにやるのもおすすめです。お母さんは、お子さんができたからといってやめてしまわず、なんどでもやってみせます。

両手を広げて、バランスをとりながら片足で立ちます。明かりや日の光を背にして立って、影を床や壁に映し出してシルエットを見せてもいいでしょう。できるようになったら目をつむって立つ練習もしてみましょう。

平面でジャンプ

高いところからのジャンプができるようになったら、今度は平面でのジャンプに挑戦してみましょう。

ただ跳び下りるだけでなく、今度は先に高く跳び上がらないといけないことを教えます。

まずはマットレスを敷いた上でジャンプさせます。お母さんが子どもの体を持って高く跳び上がらせてその感覚を教えてから、今度は自分でさせてみます。ジャンプができるようになったら、地面に大きな輪をかいて、ジャンプしながら前の輪に進む遊びをさせてみましょう。

ボウリング遊び

　ボウリング遊びとは、ただボールを転がすのではなく、目で見て目標を定め、それに向かってボールを転がすという遊びです。これにはいろいろな動きや感覚が複合的に必要になるため、高度な遊びといえます。

写真のように子どものボウリングのおもちゃを使っても、あき缶を並べたり縦に積み上げたものを使っても。少し離れたところからしゃがんだままボールを転がして倒します。倒れたらおおげさにほめましょう。

Advice
さらに遊びの応用として、倒れたピンや缶の数を数えたり、持ってこさせたりするのもいいでしょう。

感覚

音を聞き分ける

音の出るおもちゃや身近な生活道具をたたいたり、鳴らしたりして音を出し、何がどんな音を出すかという発生源とそれぞれの音の違いを教えます。

これはリズム感を養うのにも役立ちます。

ついたてやドアなどの陰に隠れて、たいこ、ラッパ、鈴、シロホン、コップなどいろいろな音を聞かせ、「これは何の音？」と聞いて答えさせます。答えたら、その発生源を見せながらもう一度音を出して、それぞれから出る音の違いを知らせます。

久保田メソードで育った赤ちゃんたちは今

大塚菜々美ちゃん
私立幼稚園年少クラス

「赤ちゃん能力開発教室」に、6ヵ月から3才２ヵ月まで通って、今は幼稚園の年少クラスに行っています。教室では、新しい教材や遊具にも興味を持ってチャレンジするようになり、新しいことへ挑戦する気持ちも生まれました。ものおじしない性質なのでおともだちもたくさんできました。一つのことに取り組むと一心不乱という感じで、「集中力がすごい！」と、家ではわからないわが子の姿にびっくりしました。

幼稚園入園のときのグループ面接では、椅子に座って先生のお話がちゃんと聞けたのは、8人中2人だけ。そのうちの一人がうちの子だったので、能力開発を続けてよかったと思いました。（母・玲子さん）

社会性

ごっこ遊び

お母さんやお友達とおままごとをしたり、電話でお話したりするごっこ遊び。これには、楽しみながらいろいろな体の動きを復習して覚える、というねらいがありますが、さらに、社会性を身につけさせて、しつけをするチャンスでもあります。

ごっこ遊びを発展させるためにも、お母さんは日ごろから生活のいろいろな場面を見せてあげるようにするといいでしょう。

おままごと
最初はお母さんが相手をしたり、お人形さんにお母さん役をさせたりして遊びます。おままごとセットをしっかり持って「お茶をどうぞ」「いただきます」などという会話の練習もさせましょう。うまくなったら友達と遊びます。

電話でもしもし
子どもは電話が鳴ると飛んで行ってとろうとします。そこで大好きな電話ごっこで言葉の発達を促しましょう。おもちゃの電話で、お母さんやお友達と楽しい会話をしてみましょう。

おもちゃを片づける

自分が遊んだおもちゃは、使ったあとちゃんと箱にしまって自分で片づける癖をつけるようにします。きちんとした子に育てるためにも今のうちに覚えさせて習慣づけを。

遊んだあとにお母さんが「じゃあ、おもちゃを片づけようね」と言って、自分で箱にしまわせるよう促します。散らかしたものは必ず片づけなくてはいけないことを教えましょう。

知能

物の形がわかる

同じ形、少し違った形を見分けたり、仲間ごとに集めたりするこの遊びは、物を分類する技術の最も初歩的なものといえます。

幼児向けのジグソーパズルや、はめ絵、厚紙を切り抜いたお母さんの手作りの教材などを使って遊びのバリエーションをいろいろふやしてみましょう。

これによって、指先の器用さも身につきます。

微妙な色の違いがわかる

赤、青、黄などの明快な色の区別がつくようになったら、ピンク、クリーム、水色、黄緑など微妙な色の違いを教えていきます。毎日の生活の中で、洋服、クッション、カーテン、大好きなおもちゃやぬいぐるみなど、身の回りのものをさりげなく教材にしながら、教えていくといいでしょう。絵本や、チラシを使ってもいいですね。

単純なはめ絵のおもちゃを与えて、くりぬかれた部分にあてはまるものを入れさせていきます。穴に合った形のものをさし込むことで、○、△、□の形を区別します。

紙に○、△、□を書いた（スタンプなどを利用してもいいでしょう）ものを用意して、その上に同じ形のシールを貼っていきます。形の似たものと違うものを区別させます。

Point

ほかに、顔の形のはめ絵などを用意して、目や耳といった顔のパーツの名称を覚えさせるのもいいでしょう。

知能

大小、軽重、長短がわかる

2つのものをくらべることによって、大きい・小さい、重い・軽い、長い・短いといった量的なものをあらわす概念を身につけさせます。

これも日常生活の中で教えるチャンスはいろいろありますから、お母さんはそういったチャンスをのがさずに体験的に理解できるように教えてあげましょう。

軽重
同じ大きさの牛乳パックなどを用意して、中に砂やあずきをたくさん入れた重いものと、少しだけ入れた軽いものにします。同時か、交互に持たせて「どっちが重い？」と聞きます。同じ大きさのボールや、靴などを使ってもできます。

長短
ひもやリボンを切ったものや、鉛筆など、同じ種類の長さの違うものを用意して「どっちが長い？」「短いのはどっち？」と聞いて答えさせます。わかりやすいように、2つを並べて見せます。長さの差が大きいほうが理解しやすいでしょう。

ストループテスト

2才のカリキュラムの仕上げとして、ストループテストにトライしましょう。これは、理論編16ページでも説明しましたが、2種類の性質を持った刺激で、前頭前野の46野、運動連合野、運動野を鍛えるものです。ものごとの決断が早く、記憶力がよくなり、手をすばやく、器用に働かせるようになります。
※このテストは、巻頭引き出し裏の教材を作成して使ってください。

簡単なストループテスト
「赤いカードをとってちょうだい」（青、黄色もそれぞれ3枚ずつとらせる）。次に「三角のカードをとってちょうだい」（丸、四角もそれぞれ3枚ずつとらせる）とカードをとらせます。全部できたらほめてあげましょう。

Point
これまでのカリキュラムができていれば、簡単にできるでしょう。

❶

❷

❸

❹

複雑なストループテスト
最初に、色のついている表面を出して机に並べ、その状態を子どもに見せてからカードを伏せて、裏面を上にします。
❶「黄色のカードをめくってみよう」「全部、できたね」
❷「この丸いカードな何色かな？　あ、青だ。じゃあ、ほかの青いカードはどれかな？」
❸「わあ、すごーい！　青いカードも全部めくれたね」
❹「残りのカードは何色かな？」

Advice
間違ったら「これは、違うね」とカードを伏せて、テストを続けます。何度かやると、前頭帯状皮質が働き、間違わないようになります。できたら、おおげさなくらいほめてあげましょう。

ママといっしょに、楽しくレッスン
赤ちゃん能力開発教室
久保田メソード

久保田メソード
脳を鍛える
赤ちゃん能力開発教室

ボールで、色の違い、大小を覚える。

手の発達を促し、集中力を培う「ひも通し」。ひとりで真剣に通しています。

生まれてすぐから、脳の活動は始まっています

生まれたばかりの赤ちゃんは、お母さんのおっぱいを飲む以外は、多くの時間眠っているばかりで何もしていないように見えます。

　しかし、赤ちゃんの脳はすでに活発な活動が始まっているのです。脳を発達させるためには、脳へ刺激を与えて神経細胞（ニューロン）同士のつながりを密にし、情報伝達の回路を作っていくことが必要です。

ちょうどよい時期に、ふさわしい刺激を

　その情報伝達の役割を担うのがシナプスで、シナプスの数が急激に生産されるのは、生後０～４才がピークです。この時期に脳にふさわしい刺激を送り込むことが、脳の発達に効果的です。

バランスのよい子に育てる

その刺激とは、知能的なことに偏ってはいけません。手、運動、感覚、社会性、知能の５つの分野の刺激を送り込み、脳のあらゆる分野の発達を促すことがたいせつです。

成績もいいけれど、運動もできる、ものごとに前向きに取り組んでいく積極性や独創性、社会性もある、他人に対してやさしい、心豊かな人間を目ざすということです。

20年の実績がある、久保田メソード『赤ちゃん能力開発教室』

この教室は、日本の脳科学者の先駆者・久保田競先生と主婦の友社が作り上げたメソードです。ママといっしょに楽しく無理なくレッスンできる教室です。

プラステン（棒さし）を使って、目と手の協応動作、色の分別、数の概念を学びます。教室では、発達段階に適したさまざまな教材を使います。

転んだときとっさに手が出るように、じょうずな転び方の練習。

みんなペープサートを使ったお話が大好き。集中力が身につきます。

久保田メソード
『赤ちゃん能力開発教室』
※詳細、お問い合わせ先
主婦の友リトルランド本部
（東京・水道橋）
tel★03-3261-1121
（月～金　9：30～17：30）
http://www.littleland.jp/

久保田　競（くぼた　きそう）

京都大学名誉教授、日本福祉大学大学院教授。医学博士。
　1932年大阪府生まれ。東京大学医学部、同大学院にて脳神経生理学を学ぶ。大学院３年目に米国留学、オレゴン州立医科大学J・M・ブルックハルト教授のもとで、最先端の研究に数年従事。帰国後、東京大学大学院を経て、京都大学霊長類研究所教授、同所長を歴任。96年京都大学を定年退官、同大学名誉教授に就任するとともに、日本福祉大学の情報社会科学部教授を経て、同大学院情報・経営開発研究科教授、現在に至る。
　70年代に、サルの前頭連合野の神経細胞活動と行動の研究を世界で最初に始めたが、これがきっかけになって脳の高次機能がサルやヒトで調べられるようになった。ワーキングメモリーシステムは前頭連合野で保持されていることを発見（1973年）。
　日本での「脳機能」研究のパイオニアであるとともに、現代日本の脳科学の最高権威。赤ちゃんの脳の発達分野でも、30年にわたって研究発表、実践を続けている。
　著書に「０～２才　能力と意欲を伸ばす育児法」「２～３才からの脳を育む本」「脳ボケはNO！」（以上主婦の友社）、「すぐれた脳に育てる」（BL出版）、「バカはなおせる　脳を鍛える習慣、悪くする習慣」（アスキー）など多数。

セレクトBOOKS
赤ちゃんの脳を育む本

著　者　久保田　競
発行者　荻野善之
発行所　株式会社主婦の友社
〒101-8911
東京都千代田区神田駿河台２-９
電話（編集）03-5280-7537
（販売）03-5280-7551
印刷所　図書印刷株式会社

Printed in Japan　ISBN978-4-07-256886-6

※本書の内容についてのお問い合わせは主婦の友リトルランド（電話03-3261-1121 担当・相場）までお願いいたします。
■落丁、乱丁、その他不良な品がありましたら、おとりかえいたします。
お買い求めの書店か、主婦の友社資材刊行課（電話03-5280-7590）へお申し出ください。
■主婦の友社発行の書籍・ムックのご注文、雑誌の定期購読のお申し込みは、お近くの書店か主婦の友社コールセンター（電話049-259-1236）まで。
■主婦の友社ホームページ　http://www.shufunotomo.co.jp/
本書は、「0～2才赤ちゃんの能力を伸ばす本」を参考に新しく編集しました。

け—091010

手。Ｃａｕｔｉｏｎ小さなものを扱うときは、必ずお母さんがそばにいて、口に入れようとしたときには「ダメ！」と言ってやめさせます。お母さんが口に入れてペッと出して、赤ちゃんにまねをさせる方法もあります。手　引っぱりだす　赤ちゃんは引っぱりだすのが大好き。特にティッシュなどはいつまでもやっています。そこで、ラップの芯などを利用して、いろいろなものを詰めて取り出させます。「何が出てくるか～」と、きっと赤ちゃんは夢中になって遊ぶはずです。やり方ラップの芯を20㎝ぐらいに切った筒の中に、リボンやスカーフ、ティッシュ、おもちゃなどを入れて、赤ちゃんに取り出させます。Ｐｏｉｎｔ最初のうちはまだ両手を同時にうまく使えませんから、お母さんが筒をしっかり持って、引っぱりださせましょう。また、おすわりの姿勢のときは、両手を使っていると安定するものです。Ｃａｕｔｉｏｎ赤ちゃんの体が前に傾かないようにしましょう。両手を打ち合わせる　両手に物を持ってそれを打ち合わせることには、２つの手の力加減を調節したり、動きを協調させることのほかに、音の出し方やリズムを覚えるといった意味もあります。　赤ちゃんに何か刺激を与えるなら、この動きのようにさまざまな感覚に刺激を与えたほうが、効率よく脳の各部分を発達させることができます。両手に積み木を持たせて、打ち合わせて音を出す練習をさせます。身の回りにあるお椀、プラスチックのコップ、そのほか、音の出るいろいろなものを持たせて練習させてみましょうＣａｕｔｉｏｎ打ち合わせないで口に入れようとしたときには、「ダメ」ときちんと教えてあげて。運動おすわりの練習　首がすわったからとおすわりの練習をさせても、はじめは前かがみになったり、のけぞったりでなかなかうまくいかないもの。きれいな（正しい）おすわりとは、きちんと背すじを伸ばした姿勢です。なぜ、正しい形のおすわりやはいはい、歩く姿勢にこだわるかといえば、正しい姿勢は体の正しい位置に筋肉がつき、正しく発達するからです。　おすわり遊びをしながら、きれいなおすわりが持続してできるように練習してみましょう。長くすわっていられるようになると視野が広がり、いろいろなものへの興味が増えます。また、持続して遊ぶことで集中力もついてきます。机を使って姿勢を安定させる体が倒れないように、赤ちゃんの前に胸の高さくらいの机や段ボール箱をおいて、その上におもちゃを出して遊ばせます。両足の間におもちゃをおいておすわり遊び　広げた足の間に、胸のあたりまでくるおもちゃ（写真はペグさし）をおいて遊ばせます。これは体を起こした姿勢をとらせるのが目的です。Ａｄｖｉｃｅ赤ちゃんの遊びが片手だけになると、姿勢が不安定になってバランスをくずすこともあります。常に両手を使うようにさせるといいでしょう。運動　じょうずなはいはいの練習　じょうずなはいはいとは動きにむだがなく速く前に進むものです。まずはきれいな（正しい）はいはいができる練習をし、それができるようになったら次は斜面を上ったり、段差を乗り越えるはいはいにも挑戦してみましょう。これはひざ下と腕の筋肉を鍛えることにもつながります。これらの筋肉をうまく使うことは、歩くためにも必要なことですから、ぜひやってみましょう。斜面で高ばいの練習　やり方　斜面を、足の親指を使ってつま先でけって、ひざをつかないで上る練習をします。最初はゆるやかな斜面から始め、次に滑り台のような急な斜面でもやってみましょう。赤ちゃんがひざをついてしまうときは、お母さんが手で足の裏を支えましょう。Ａｄｖｉｃｅ赤ちゃんが上がってこないときはおもちゃを見せて誘うといいでしょう。段差ではいはい　布団やマットレスで段差を作って、それをはいはいで乗り越えていく練習をさせます。体をしっかりと手で支えて、足を交互に持ち上げて、うまく段差を乗り越えられるように、お母さんはじょうずに導いてあげましょう。Ｐｏｉｎｔ足の親指を使ってしっかりつま先でけっているかどうかが大事な点です。お母さんはそこをよく見てあげましょう。Ａｄｖｉｃｅ上がることができるようになったら、下がる練習もしてみましょう。はいはい遊び　はいはいを取り入れた遊びをすることによって、さらにはいはいを上達させてあげましょう。これは腰や手足の筋肉を鍛えることにもつながります。しかもこれらの遊びは赤ちゃんがとても喜ぶもの。親子で楽しみましょう。トンネルくぐり　赤ちゃんは狭いところにもぐるのが大好きです。段ボールや板などで作ったトンネルの出口から名前を呼んで、はいはいでくぐらせます。Ａｄｖｉｃｅお母さんが足を開いて立ったり四つんばいになって、その下をくぐる練習もしてみましょう。赤ちゃんは大喜びすることでしょう。転んだときに手をつく練習　赤ちゃんの動きが活発になって行動半径が広がってくると、それにともなって危険も増えてきます。最近の子どもは転び方がへただといわれていますが、転んだときにさっと手が出るように、手をつく練習もさせてあげましょう。布団やマットレスを敷いた上に、布団などを丸めて、その上に赤ちゃんを腹ばいにしてのせ、布団を少し前に回転させます。こうして、頭が下になったとき、自然に手が床のほうへ伸びるように繰り返し練習させます。運動ダイナミックな「たかい、たかい」　たかい、たかいのダイナミックバージョンです。たかい、たかいが大好きな赤ちゃんなら、思い切って体を上げてみましょう。これはお父さんにもおすすめの遊びです。「たかい、たかい」と言いながら、グーンと高く体を持ち上げます。はじめは、お母さんと目を合わせながらやると赤ちゃんも安心するのでいいでしょう。Ｃａｕｔｉｏｎ急激に頭をゆすぶったり、体を振り回すことはやめましょう。足の甲にのせてあんよの練習ひとりであんよができるようになるのはまだ先ですが、そろそろ歩くリズムを教えてあげましょう。お母さんといっしょにやることで、ひざを曲げて地面から足の裏を離すことを促します。お母さんの足の甲に赤ちゃんをのせて、前後左右にリズムをつけながら歩きます。一日に１回くらいを目安に。Ｃａｕｔｉｏｎ足を前に出しやすいように赤ちゃんの手を持ちますが、強く上に引っぱりあげないようにしましょう。おむつ体操③この期のおむつ体操③では、お母さんのかけ声どおりに赤ちゃんが手足を動かせるようになることと、体を動かさないでじっと待っていることができるようになるのを覚えるのが目標です。　この２つができるようになるとお母さんもおむつがえが楽になります。赤ちゃんが歩けるようになるまで続けましょう。①「伸び伸びしましょ」と言いながら、肩からつま先までをスーッと一気に手のひらでさすります。②「足を持って」と声をかけ、自分の両足を持つように教えます。最初はお母さんが手を添えて持たせてあげるといいでしょう。③　　　　　そのままの姿勢で、ゴロンと体を倒します。④　　　　　反対側にもゴロン。⑤　　　　　最終的には、お母さんの「動かないで」という命令で、上げた足をじっと持っていられるように訓練します。お母さんがおむつをかえている間、ひとりで自分の足を持ってじっとしていられるようになったら大成功です。Ａｄｖｉｃｅじっと待つことができたら「いい子だったわね」とたくさんほめてあげましょう。Ｃａｕｔｉｏｎ食後は30分以上たってからするようにしてください。感覚　ボールを転がして目で追う　ボールの行き先をしっかり見るということは「追視」の一種です。おすわりができるようになったら練習しましょう。　この動きは、先に起こることを予測する能力を育てるほか、お母さんとボールをやりとりすることで社会性も生まれてきます。まずは赤ちゃんに声をかけてボールを見せ、そのまま赤ちゃんの注意をボールに集めた状態で転がして、行く先を目で追わせます。Ａｄｖｉｃｅお母さんと向かい合ってボールを転がして遊んでもいいでしょう。ボールの向かっている先が予測できるようになると、手を伸ばしてボールをとろうとします。注意点・最初は、ボールの動きが早くて目で追うのはむずかしい場合も。そういうときは布のボールや、湿らせたティッシュを丸めてボールかがわりに使ってみて。転がるスピードが落ちて目で追いやすくなります。社会性　お母さんといっしょに、にらめっこ遊び　向かい合って、いろいろな表情を見せるにらめっこ遊びは、ミラーニューロンシステムが働き、前頭前野を鍛えます。はじめは、お母さんが笑った顔、驚いた顔などを繰り返し見せて遊びます。そのうち、赤ちゃんもまねするようになります。「にらめっこしましょ」「笑うと負けよ」「あっぷっぷー」で、お母さんは驚いた顔に。しだいに赤ちゃんもまねするようになります。さまざまな表情が、豊かな感情を育てます。Ａｄｖｉｃｅ「ぐー、ちょきぱー」、「むすんで開いて」などの手遊び歌も、お母さんのまねをさせてみましょう。NO-GO（ノーゴー）　これは、コンセントをさわろうとしているときに、触らないように学習させます。赤ちゃんが触ろうとしたら「ダメ」といって、コンセントからケーブルを引き抜いて触れないようにします。これを何回か繰り返すと、赤ちゃんは、触ろうか触るまいか考えているように見えるようになります。そのたじろいでいるときにほめてあげるのです。このように、何かを積極的にしなかったらほめてあげるということで、脳を育てていくものです。このＮＯ－ＧＯは、脳の発達にはとても大事なことですから、積極的に日々の生活に取り入れてください。赤ちゃんがコンセントをさわろうとしたらやめさせます。そのまま赤ちゃんがいたずらをやめたらほめてあげましょう。もちろんその前にここが危険という説明もしてあげてください。事態を理解してやめさせる方が効果的です。知能「いない、いない、ばあ」のバリエーション　物事を期待して待つこの「いない、いない、ばあ」は、ワーキングメモリーシステムを鍛え、前頭連合野が発達します。バリエーションをさまざまに増やしてやってあげましょう。いろいろなやり方を工夫して赤ちゃんと楽しんでください。お母さんと向かい合ってすわらせ、顔にふわっとタオルをかけて、「いない、いない」と言いながら、しばらくそのままで待たせます。「ばあ！」の声に合わせて、自分でタオルをとるように仕向けます。最初はお母さんがタオルをとって教えてあげましょう。こんどはお母さんの顔を隠してやってみます。待たせる時間も長くしたり短くしたり、のぞかせたときの顔の表情もいろいろ変化をつけるといいでしょう。やり方　お母さんがついたてやカーテン、ドアの陰などに隠れて「いない、いない、ばあ！」で顔をのぞかせます。同じ場所でなく、いろいろなところから顔を出してあげると赤ちゃんも大喜び。Ａｄｖｉｃｅ赤ちゃんとお母さんがいっしょに、鏡を見ながらやってもいいでしょう。お母さんが顔を隠した場合、赤ちゃんが振り向いてお母さんの顔を見るまでやってみましょう。知能　おもちゃを隠して見つけさせる　目の前にあったおもちゃを赤ちゃんがとろうとしたときに、そのおもちゃを隠してしまうと赤ちゃんはそのおもちゃのことは忘れてしまいます。が、それを忘れないように短期の記憶を養うのがこの遊びです。このようにワーキングメモリーを鍛えることは、前頭連合野の発達のためにも有効です。あらかじめおもちゃで遊んで、そのおもちゃと親しんでおきます。そのあと、器やタオルをかけて、赤ちゃんの目からおもちゃを隠します。すると、あかちゃんはパッと器をとっておもちゃをさがし当てます。見つけたら「あった！」とおおげさに喜んでみせます。Ａｄｖｉｃｅ慣れてきたら小さなコップの中に隠したり、布団の下に隠したりして、隠し場所もだんだんむずかしくし、それを記憶させる訓練をしていきます。知能　鏡を見て遊ぶ　手を伸ばして鏡に映った自分やお母さんにさわってみると、赤ちゃんはどうも鏡に映った自分やお母さんは本物とは違うということに気がつくことでしょう。　鏡を使って自分と他人の違いを理解させたり、「いない、いない、ばあ」をして遊んだり。おすわりができるようになると鏡を使った遊びも幅が広がってきます。鏡にさわったり、鏡を見ながら「おくち」「おはな」「ほっぺ」などと、赤ちゃんの顔を指さしたり、いろいろな遊びをしてみましょう。Ａｄｖｉｃｅお母さんも赤ちゃんの後ろにすわって、鏡の中のお母さんと実物のお母さんとの違いを教えてあげましょう。

手　赤ちゃんの５本指でお母さんの小指をギュッと握らせる　ここでは、「把握反射」という生まれつき赤ちゃんに備わっている能力を鍛えます。この反射は、赤ちゃんの手にふれた刺激が大脳に伝わり、大脳から「動け」という命令が送られて、筋肉が収縮することで起こります。生後2ヵ月を過ぎると、こういった余分な運動は抑制する動きが出てきて、しだいに消えていきますから、反射の残っている今のうちにしっかり握ることを覚えさせましょう。お母さんの小指を握らせ、そのまま少し揺すっても、指が離れないでしっかり握れるように練習させます。右、左とも同じようにやってみてください。Ａｄｖｉｃｅ赤ちゃんの握る力が強くなってきたら、今度は両手を同時に握らせて、その手をゆっくり引っぱって、赤ちゃんの頭が床から少し離れるくらいまで体を浮かせてみましょう。Ｃａｕｔｉｏｎ・引っぱりあげるときは、赤ちゃんが指を離したときにさっと補助できるよう、お母さんは残りの４本の指を赤ちゃんの手の上にかぶせておいて！お母さんの指だけでなく、赤ちゃんの指のサイズに合った棒やサインペンなどを使って両手で握る練習をしてもいいでしょう。Ｐｏｉｎｔ親指が外に出るようにして握らせます（親指が中に入っていると力が入りにくい）。このにぎり方は大きくなってからも使う、基本のにぎり方です。運動　うつぶせにする　寝ている赤ちゃんの頭の位置を変えると、目、首、手足を動かします。頭を右に向けると、右手と右足を伸ばし左手と左足を曲げます。さらに、うつぶせにすると手足を伸ばします。これらの動きは「迷路反射」と呼ばれるもので、この働きをつかさどっているのが三半規管です。うつぶせの練習をすることは、この反射を促すことになるので、首のすわりが早くなります。うつぶせにし、首すじから背中にかけてのあたりを、軽くトントンとたたいたり、さすったり、声をかけたりして、頭を上げるよう促します。すると、赤ちゃんはうつぶせの姿勢のまま頭を持ち上げ、背中をそらせます。視線も頭を上げたほうを向きます。最初のうちは、赤ちゃんは丸まったままですが、慣れてくると頭ももちあげるようになります。生まれた直後から一日に2〜3回はやってみましょう。Ｃａｕｔｉｏｎうつぶせにするときは・かたい布団で！・顔は必ず横向きに！・必ず大人がそばについていて。おむつ体操１Ｐｏｉｎｔはじめに「さあ、おむつ体操しようね」と声をかけて　一日に何回も行うおむつがえタイムを利用して赤ちゃんに体の動かし方を覚えてもらうのがこのおむつ体操です。体操は月齢に合わせて1〜3まであります。この１ではおむつをとりかえることの気持ちよさと、自分の体は自分の意思で動くものだということを知ってもらいましょう。1両足つんつん　おむつをはずしたら、まず赤ちゃんの両足をそろえてひざを曲げ、足の裏をお母さんの手で軽く押してあげます。それに対して赤ちゃんがけってくるように仕向けるのがポイントです。2伸び伸びしましょ　続いて「さあ、伸び伸びしましょ」と言いながら、赤ちゃんの肩から腰、つま先まで、上から下へと何度もさすります。特に足部分をさするときは、太ももを軽く押しながらさすり、赤ちゃんがピーンと足を伸ばすように仕向けるといいでしょう。3手を伸ばしましょ　両手を持って左右に伸ばしたら、こんどは手を胸の前に持ってきます。Ｐｏｉｎｔ　1〜3を1日目は1回、2日目は2回、3日目は3回繰り返し、それ以後は毎回おむつがえのたびに3回ずつ行います。　Ｃａｕｔｉｏｎ必ず赤ちゃんと視線を合わせながら！感覚　お母さんと視線を合わせましょう　最近の研究では、生まれたばかりの赤ちゃんでもぼんやりと物が見えていることがわかってきました。ただしまだ視野はとても狭く、その中に入ってきたものしか見ることができません。そこでお母さんが声をかけながら、赤ちゃんの視野に自分の顔を入れて、赤ちゃんと視線を合わせて、こちらに興味をひくようにしてみましょう。これは「注視」の訓練にもなります。こうすることで、目から情報を取り入れ、ものを正確に認知することができるようになります。このことは首のすわりを早くすることにも役立ちます。赤ちゃんにほおずりし、鼻と鼻を合わせてから、お母さんは顔をだんだん離していきます。赤ちゃんが目で追ってくるのは30cm以内くらいの範囲です。視線の合うところまでで止めて、あとはやさしく話しかけてあげましょう。上下だけでなく、左右にもゆっくりと顔を動かして、赤ちゃんのひとみの動きを誘います。この場合の視野もまだ狭く、ひとみとひとみの間の延長線ぐらいしかありません。視線が合わなくなったら動きを止めて、赤ちゃんとのコミュニケーションを楽しんでください。Ａｄｖｉｃｅひとみの輝きが見えなくなったら、赤ちゃんが見えていない証拠です。お母さんは動くのをやめましょう。Ｃａｕｔｉｏｎ１ヵ所に焦点を当てるのが目的です。赤ちゃんの興味を誘うように、声をかけたり、ふれたりしながら行いましょう。Ｐｏｉｎｔおむつがえのときなどに、毎日行うことが大事。感覚　注視の訓練　25ページで紹介している「注視」の訓練のバリエーションが、このページで紹介しているおもちゃなどを使った方法です。家にある赤系のものを使って工夫してみてください。赤ちゃんは三原色、なかでも赤い色がよく見えます。つり輪など赤いおもちゃを赤ちゃんが見えるところにつるし、上下左右に少し動かして目で追わせます。Ａｄｖｉｃｅつり輪のかわりに、赤やピンクなどの風船を使って、上下左右に動かしてみせてもいいでしょう。身の回りの音を聞いたり、いろいろなものにふれる　この時期の赤ちゃんは全身がアンテナのようなもの。周囲から聞こえてくるさまざまな音の情報を取り入れることで、脳の神経細胞はどんどん回路を増やしているのです。いつも静かな部屋に寝かせておくのではなく、いろいろな音を聞かせたり、いろいろなものにふれさせてあげましょう。最初は赤ちゃんもびっくりして「びくっ」とするかもしれません。でも昨日びっくりした音を今日は少し弱くして聞かせてあげるとそれほど驚かなくなるものです。また感覚野の中でも、この時期に回路が完成するのが皮膚からの情報を受ける皮膚感覚野です。この皮膚感覚野を発達させてあげるためにも、人間の顔、おもちゃ、タオル、あたたかいもの、冷たいものなど、さまざまな感触のものに触れさせてあげましょう。Ａｄｖｉｃｅ外気に触れさせてあげるのもいいでしょう。でんでん太鼓など、音の出るおもちゃをまず赤ちゃんの目の前30〜40cmのところで鳴らしてみせ、次にゆっくり動かして目で追わせます。Ｃａｕｔｉｏｎ・必ず大人が声をかけながら！Ｐｏｉｎｔ話しかけても赤ちゃんの視線が動かない場合には、鼻のつけ根を上から下へとさすって目を閉じさせて、それから再度始めてみましょう。社会性　たくさん言葉かけをしてあげましょう　おむつがえや授乳のとき、お風呂のときなど、お母さんはできるだけ赤ちゃんにたくさん言葉をかけてあげましょう。特に「おむつをかえて気持ちよくなったね」「おっぱいおいしいね」といった気分のいいことをあらわす言葉は何度も繰り返してあげましょう。　もちろん、赤ちゃんは言葉の意味は理解できていません。が、そのときのお母さんの声の調子や表情で、それがどんな意味を持っているか、ちゃんと神経回路は理解をしているので、しだいに赤ちゃんの表情も豊かになってきます。抱き上げるときは言葉かけの絶好の機会です。赤ちゃんだからまだ言葉がわからない、と思って黙っていないで、視線を合わせながら、積極的に話しかけてあげましょう。赤ちゃんに声をかけながら顔を近づけてにっこり笑ってみましょう。こうすれば赤ちゃんもつられてほほえみ返してくるようになります。Ｃａｕｔｉｏｎ何かするときには「これからおっぱいですよ」というふうに声をかけることが、赤ちゃんへのサインに！Ａｄｖｉｃｅ赤ちゃんに話しかけるときには赤ちゃん言葉を使わずに、「ジドウシャ」「イヌ」「オフロ」など、正しくはっきり発音するといいでしょう。Ｐｏｉｎｔ気持ちのいい言葉は何度も繰り返して言葉かけをするようにしましょう。手　引っぱる　赤ちゃんがおもちゃに関心を示すようになって、自分から手を出すようになったら、こんどはそれを引っぱって遊ぶように促してみましょう。おもちゃの存在を認識し、その位置を把握してそれをつかみ、さらに引っぱるという一連の動きには、赤ちゃんの視覚野、頭頂連合野、前頭連合野、運動野を鍛えます。あおむけ、おすわり、腹ばいになった赤ちゃんの目の前に、毛糸の玉やつり輪、つりおもちゃなどをぶら下げ、赤ちゃんに引っぱらせて遊ばせます。Ｐｏｉｎｔ関心のないときは、おもちゃに鈴などをつけて音で誘います。Ａｄｖｉｃｅおもちゃは弱い力でも引っぱれるよ　運動　はいはいの練習　うつぶせから四つんばいにしてはいはいを促す　うつぶせがじょうずにできるようになったら、こんどははいはいの練習をしてみましょう。これは、お母さんが手助けをしてあげると、格段に上達するものです。　前進するためには、手足を交互に動かすことを覚えなくてはなりませんが、これには「立ち直り反射」を利用します。これはまず、赤ちゃんをうつぶせにして床から浮かせておいて、どちらかの手や足を床につけたときに、その刺激によって先に床についた手足が動き、その後に反対の手足も動くというものです。　この反射で手足を交互に出すことと、足の指先を床につけることを練習して、しだいにはいはいができるようにしていきましょう。はいはいの練習　体を床にべったりとつけていた、これまでのうつぶせ姿勢から、両ひじと両足で体を支える四つんばい姿勢がとれるように練習します。最初はお母さんがおなかの下に手を入れて、少し持ち上げてあげましょう。すると、赤ちゃんは両手で体を支えるようになります。手のひらと足の指先が正しく床につくようにしましょう。手をじょうずに前に出す　首を上げ、胸を張って、手で体を支える姿勢はできるようになっても、手を交互に前に出さなければ前に進むことはできません。そういうときは、お母さんが赤ちゃんの手を持って、正しく前に出してあげましょう。Ａｄｖｉｃｅなかなか手が前に出ない赤ちゃんは、お母さんのひざでおすわりをさせて、手を出す遊びをたくさんさせてあげるといいでしょう。おもちゃで、はいはいを誘う　赤ちゃんをうつぶせにし、手を伸ばせば届きそうな、でも届かない位置に赤ちゃんの興味をひきつけるようなおもちゃをおいて、はいはいを促します。はじめは、赤ちゃんは手足をバタバタさせるだけでなかなか前に進むことはできないので、そんなときは下のように足けりの練習をさせます。Ａｄｖｉｃｅ少しずつ前に進めるようになったら、おもちゃをだんだん離して、はいはいの距離を長くしていきましょう。足のけりを強くする　手足を交互に前に出すことと同時に、もう一つ、はいはいの大事なポイントは、足の指